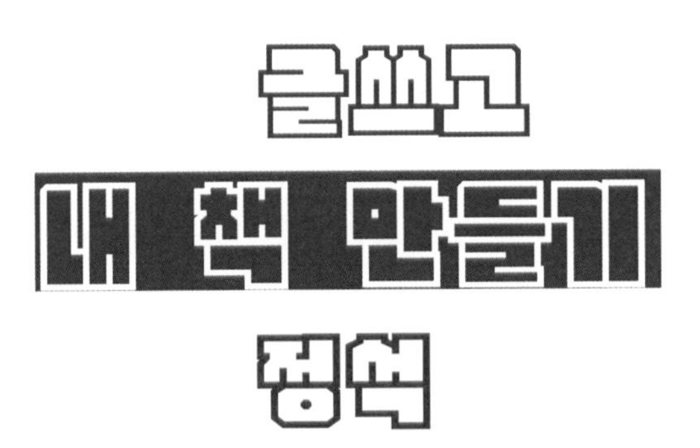

더 나은 삶을 위한
한 권의 내 책 만들기 비법

BOOKK

글쓰고

내 책 만들기

정석

더 나은 삶을 위한
한 권의 내 책 만들기 비법

저 자 | 강신진, 김은솔, 김현수, 노창민, 안경순

발 행 | 2024년 2월 22일
펴낸이 | 한건희
펴낸곳 | 주식회사 부크크
출판사 등록 | 2014.7.15.(제2014-16호)
주 소 | 서울특별시 금천구 가산디지털1로 119
(SK 트윈타워 A동 305호)
전 화 | 1670-8316
이메일 | info@bookk.co.kr

ISBN | 979-11-410-7103-5

www.bookk.co.kr

학생에게
배울 것보다는
무언가
해야 할 것을 주어야 한다.

무언가를 하다 보면
자연히 생각하게 된다.

그리하면
배움은 저절로 따라온다.

- 존 듀이 -

차 례

들어가기 글쓰기는 나를 찾는 **거울**이다. 8

1부
행복한 학교생활 이야기 14

1. 학교 일상의 행복이란? 17
2. 교사의 삶을 말하다 19
3. 교사는 만능인가? 20
4. 행복한 학교생활 이야기다 21
   1) 너희와 내가 만날 확률 24
   2) 신규교사의 학교 일상 42
   3) 학교생활 이야기 58
   4) 네! 여긴 훈훈해서 좋아요 66

2부
교사에게 알려 주는 글쓰기 정석 82

1. 글쓰기 어떻게 하지? 85
2. 내 책 만드는 글쓰기 정석이다 89
3. 글쓰기 정석 ① 한 줄 쓰기 97
4. 글쓰기 정석 ② 글쓰기 5가지 요령 107
5. 글쓰기 정석 ③ 글쓰기 정석은 5W1H다 121
   1) 글쓰기 왜 하지? 109
   2) 무엇을 쓸까? 114
   3) 어떻게 쓸까? 116

6 글쓰기 정석 ④ 창조하기 121
   1) 모방은 창조의 시작이다 122
   2) 창조는 상상력이다 123

7. 글쓰기 실전 TIP 5가지 124

3부
내 책 만들기 비법 130

1. 내 책 만들기의 모든 것 133
  1) 원고 쓰기는 습관이다 136
  2) 글감이 있어야 책을 만든다 140
2. 내 책 만들기 비법이다 142
  1) 책 쓰기 첫걸음은 상상이다 143
  2) 주제 잡고 뼈대 세우기 144
  3) 차례는 대충 작성하기다 147
  4) 글은 더하고 곱하는 거다 149
  5) 초고는 다시쓰기다 153
  6) 마무리는 고쳐쓰기다 154
3. 책 만들기의 실제 상황이다 158
  1) 기획출판은 경쟁이다 161
  2) 자비출판은 비용이 든다 166
  3) 독립출판은 자신감이다 168
  4) 무료출판은 권장한다 169
4. 내 책 만들기 무료출판 비법이다 170
  1) 내 책 무료출판하기 비법 171
  2) 무료 출판하기 5단계 172
  3) 내 책 만들고 출판하기 182
5. 나는 글을 쓰는 작가다 184

4부
글 쓰는 교사 미래가 보인다 190

1. 글쓰는 교사 미래는? 191
2. 글쓰기의 효과를 말하다 199
  1) 더 나은 삶이다 201
  2) 나를 살펴보는 행복이다 203
  3) 이타주의 삶이다 205
3. 글쓰기는 인격 형성이다. 209
  1) 글쓰기는 성장하는 삶이다 211
  2) 글쓰기는 성찰하는 삶이다 214
  3) 글쓰기는 깨달음 얻는 삶이다 217
4. 미래를 찾는 글쓰기다 221
5. 글쓰는 교사는 홍익인간 삶이다 224

5부
Askup 활용 글쓰기 TIP 230

1. 카카오톡과 글쓰기 한다고? 231
2. Askup 활용하는 글쓰기 방법이다 234
  1) Askup에 질문하고 답변받기 235
  2) Askup 그림을 그려줘? 239
  3) 펜으로 쓴 글~ Askup 활용하기 241
3. Askup 사용하는 글쓰기 TIP 242

6부
부록

참고 문헌 245

맺는말 글쓰면 미래가 보인다 248

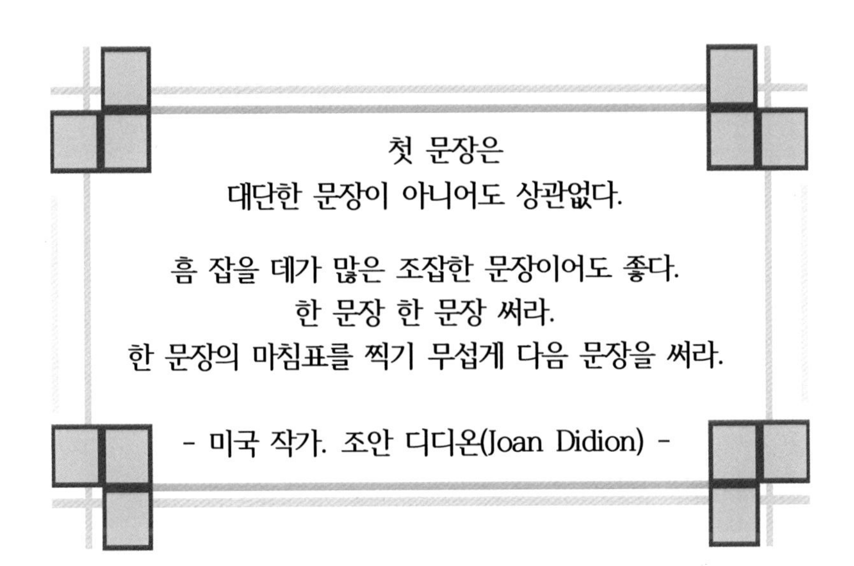

첫 문장은
대단한 문장이 아니어도 상관없다.

흠 잡을 데가 많은 조잡한 문장이어도 좋다.
한 문장 한 문장 써라.
한 문장의 마침표를 찍기 무섭게 다음 문장을 써라.

- 미국 작가. 조안 디디온(Joan Didion) -

들어가기

글 쓰기는 나를 찾는 거울이다

책 속에 길이 있다. 책은 사람이 만들지만, 사람을 만드는 건 책이다. 이는 독서와 글쓰기의 중요성을 강조한 유명한 글이다. 독서와 글쓰기는 인성교육이요, 미래 교육의 기초가 된다. 글쓰기를 잘한다면 그만큼 경쟁력을 갖게 된다. 글 쓰는 일은 내 마음을 찾게 해주는 거울이며 돋보기다.

이 책은 글쓰기를 시작하는 초보자를 위한 내용이다.

글쓰기의 기본적인 내용을 자세하게 제공하는 책이다. 글쓰기를 시작하고 싶은데 어떻게 해야 할지 모르는 초보자를 위한 첫 발걸음을 떼주는 기본적인 내용을 담고 있다. 초보자에게 글쓰기의 요령과 글쓰기 정석, 내 책을 무료로 만드는 비법과 경험을 안내한 책이다.

일기나 수업일지를 쓰면 가르침에 대해 성숙해지고 성찰하게 된다. 지금부터 하루 한 줄 글쓰기로 내 책을 쓰겠노라 마음만 먹으면 그것으로 충분하다. 이는 경험에서 나오는 깨달음이다. 글쓰기는 보람과 만족을 느끼는 일이며 사명이 된다.

이 책은 글쓰기 비법을 나열한 글쓰기 정석이다. 교사의 글쓰기 경험과 사례도 나열했다. 글쓰기 정보는 역지사지(易地思之)요, 반면교사(反面教師)이며 지혜이다.

1부는 신나는 학교생활 이야기다.

글쓰기를 알아가며 행복한 교사 학교생활 경험을 나열하였다. 학교에서 수업과 업무 등을 담당하며 지냈다. 학교의 일상에서 경험한 교육과정과 교수·학습의 내용을 담았다.

2부는 글쓰기의 정석이다.

글감 생각하기 글감 모으기, 글쓰기의 정석은 한 줄 쓰기가 글쓰기 시작이다. 한 단락 쓰기, 한 페이지 쓰기, 공부하는 교사, 스스로 실천하는 글쓰기 중심으로 서술했다.

3부는 무료로 내 책 만들기 실제이다.

글쓰기는 습관이다. 내 책 만들기 실제 과정으로 주제와 목차 작성하기, 내용 분류하고 글 쓰기 및 내 책을 만드는 출판 비법, 무료출판의 실제 방법을 제시한다.

4부는 글 쓰는 교사 미래가 보인다.

글쓰기의 가치는 성장하는 삶, 성찰하는 삶, 미래 깨달음을 얻는다. 글 쓰며 홍익인간의 삶과 행복한 삶을 위한 세상을 그려보고, 교사의 미래상에 대하여 살펴본다.

5부는 AskUp를 활용하는 글쓰기 TIP이다.

글쓰기에 유용한 AskUp을 활용하는 방법 몇 가지 사례를 들어 구체적으로 제시했다.

글쓰기의 가치는 성장하는 삶, 성찰하는 삶이다. 마음으로 전하는 글 쓰고 내 책 만드는 책 쓰기 안내서이다. 교사의 학교 일상에 대한 경험을 글로 표현했다. 교사의 경험과 사례를 마음에 품은 걸 실었다.

교사는 반복하는 삶이다. 교사는 현재의 희생과 봉사로, 미래의 희망인 학생을 가르치는 숭고한 일을 한다. 수업 역량이 함양되어, 교사 전문성이 높아지고, 좋은 수업으로 행복한 학교생활 하시기 기대합니다. 홍익인간 실천하려는 마음을 담았다. 책을 쓰면서 그동안 수업을 다시 한번 돌아볼 수 있는 마음으로 수업 시간 경험 일부를 제공한다.

글쓰기는 생각할 줄 아는 사람을 만들며, 나를 찾게 해주는 안내자이다. 글쓰기는 생각을 도와주는 내 친구이다. 독서와 글쓰기는 인격 형성의 기본이요, 인성교육이며 미래 교육의 기초이다. 교사에겐 글쓰기가 가르침의 필수 조건이며 의무이다. 글쓰기 능력은 평생 특기이며 뛰어난 경쟁력이다. 글쓰기 능력은 미래 인재며 주춧돌이다.

글쓰기 경험으로 제공하는 교사 글쓰기 정석 안내서이다.

지금 하는 일은 미래를 위해 이바지하는 업이다. 책임감과 사명감으로 최선을 다하는 교사는 존중받아야 할 대상이다. 현재 학생을 미래 인재로 양성하는 게 핵심이다. 교직 수행에서 더 멋지게 지내는 일, 더 신바람이 나게 사는 일이 남아있다. 교사는 가르침에 신바람이 나게 행복해야 한다.

이 세상에 변하지 않는 것은 없다. 변하지 않는 것은 변한다는 사실 뿐이다. 변화를 두려워하지 말고, 변화에 앞장서는 교사이길 기대한다. 교사는 늘 성장하고 변해왔고, 변화에 잘 적응하며 교육할 것이다. 여러분이 행복해야 하는 이유다.

교사는 예나 지금이나 미래를 위한 가르침이요, 사회를 위해 봉사하고 희생하는 삶이다. 상호존중이요, 인정받는 게 마땅한 사명이다.

교사가 행복해야 학생이 행복하다.
학생이 행복해야 학교가 행복하다.
학교가 행복해야 학부모가 행복하다.
학부모가 행복해야 사회가 행복하다.
사회가 행복해야 국가가 행복하다.
국가가 행복해지면 온 세상이 행복하다.

직무연수 「글쓰기와 내 책 만들기 실전」에 참석한 열정적인 교사의 글이 수록됐다. 평생학습 시대에 열정과 사랑, 따뜻한 마음을 품은 글쓰기 사례와 내 책 만들기 비법을 살펴본다.

그동안 글쓰기 경험과 사례를 제공했다. 글을 쓰고 내 책 만들어 작가에 도전하여 저자 되는 길을 제시한다. 책을 쓰면 삶의 변화가 시작된다. 글쓰기를 잘한다면 그만큼 경쟁력을 갖게 된다. 교사는 지식과 지혜를 말로 설명하며 글을 써서 가르치는 위대한 일을 한다. 유·초·중·고등학교의 선생님께 글을 쓰고 내 책 만드는 용기에 존경을 표하고 싶다. 여러분께 즐겁고 행복한 학교생활을 하시기를 기대합니다.

내 마음은 The Beatles "Let it Be~"

학교에서 학생과 함께 즐겁고 행복하게 지내고, 한 권의 내 책을 만들어 저자 되시길 기대하며, 이 글을 전합니다.

고맙습니다. 감사합니다. 사랑합니다.

2024. 인천에서

저자 일동

무엇을 쓰든 짧게 써라.
그러면 읽힐 것이다.

명료하게 써라.
그러면 이해될 것이다.

그림 같이 써라.
그러면 기억 속에 머물 것이다.

- 조지프 퓰리처(Joseph Pulitzer) -

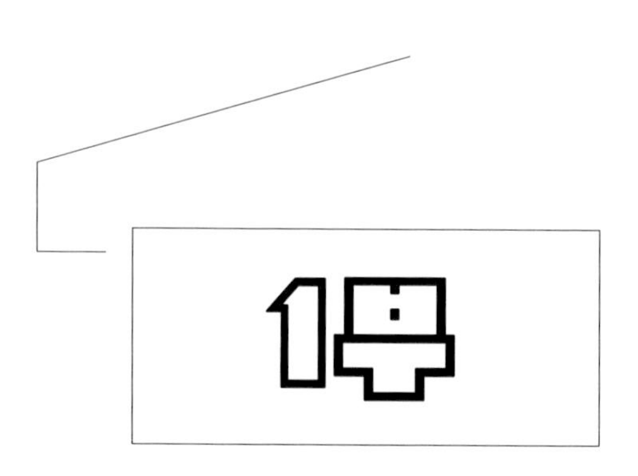
1부

행복한
학교 일상 이야기

1)

1) 작가 유덕철 수묵화

행복한 일상
1부. 학교 이야기

인공지능(AI)의 발달로 창의성과 인성이 더욱 강조되는 시대다. OECD는 미래 사회가 요구하는 핵심 역량으로 창의력(Creativity), 의사소통(Communication), 비판적 사고(Critical Thinking), 그리고 협업(Collaboration)을 제시했다.

이러한 역량은 급변하는 시대 학교나 사회에서 성공하기 위해 필수사항이다. 또한 서로 존중하고 배려하며 소통하는 능력도 더욱 중요해질 것이다. 똑똑하면서 존중하고 배려하며 소통하는 따뜻한 마음을 가진 능력은 더욱 필요하다.

"세상은 아는 만큼 보인다"라고 한다.

학생은 보고 관찰한 만큼 알 수 있다. 누군가를 가르친다는 건 기다림이고, 수용하며 인정하는 격려가 제일이다. 시험 성적만이 다가 아니다. 관찰하고 상담해야 학생의 소질과 능력을 제대로 파악하게 된다. 내 마음가짐은 열정과 사랑, 지지와 격려, 칭찬으로 변하는 '변환자'되기다. 오늘 하루 열정과 노력으로 변화를 가져오길 소망한다. 가르침이란 변하는 그 날까지 인내하는 기다림이요, '피그말리온 효과'를 생각한다.

내 삶은 신바람과 안타까움, 보람과 만족이 나를 감싼다.

삶의 경험이 다양하기에 정리하며 글을 쓰니 나를 살펴볼 수 있고 깨달음을 얻게 된다. 내 마음을 발견하는 색다른 경험을 한다. 글을 쓰면서 느끼는 감정이 매우 가치가 크다. 나를 반성하게 해주며, 내 마음을 바라보게 되고 늘 편안하게 해준다. 글쓰기는 나를 즐겁게 하며 행복하게 살아가도록 안내하는 등불이다.

글쓰기는 나를 찾아주는 보물이다. 글을 쓰는 당시에는 힘들지만, 글이 완성되면 기쁨이요 행복해진다. 일상에서 삶을 반성하게 된다. 과거 어릴 때부터 일기를 쓰는 이유가 바로 자신의 하루를 정리하는 거다. 일기는 나를 반성하는 일이며, 스스로 생각하고 정리하게 된다.

글쓰기에는 정답은 없다. 다만 글을 쓰는 행동은 정성을 들이는 일이고 습관이다. 글쓰기는 실패가 없다. 이유는 다시 고쳐 쓰면 되기 때문이다. 쓰느냐 안 쓰느냐만 존재한다. 오타, 맞춤법에 너무 신경을 쓰고 완벽한 글을 쓰려고 하면 내 책을 만들 수 없다. 글은 고쳐 쓰면 된다. 내 책 만드는 길은 쓰고 또 쓰고 고쳐 쓰는 일을 반복하는 일이다.

일상에서 글을 쓰는 습관은 기쁨을 얻는 일이며 행복한 삶이 되고 작가 되는 지름길이다.

교사는 만능인가?

교사의 일상은 수업의 연속이다. 하루, 일주일, 한 달, 일 년, 수십 년 교직 생애 기간 늘 반복한다. 교사는 이 일을 평생 하는 일신우일신(日新又日新)의 삶이다. 교육에 정답은 없지만, 교육에 정석과 정성은 가득하다. 교사의 가장 중요한 직무는 '가르치는 일'이다. 학교는 'Time is Money'를 알고, 시간의 소중함을 느끼며, 의미 있고 가치 있게 사용하는 장소다.

수업은 역지사지(易地思之)이다. 교사 본분은 수업이며, 배워서 남 주는 삶이다. 가르치며 일기나 수업일지를 쓰면, 가르침에 대해 성찰하게 된다. 이는 경험에서 나오는 깨달음이다. 가르치면서 보람을 얻고 만족을 느끼는 일이며, 사명이라 생각한다. 교사의 학교 일상에서 느낀 글쓰기 경험을 나열한다.

수업하는 일상을 지내다 보니 벌써 한 세대가 흘렀다. 초심으로 시작한 마음으로 이젠 뒷심을 발휘하고자 한다. 다만 누군가에게 조금이나마 행복한 학교생활이 되길 기대하며 작성했다.

글쓰기가 공교육을 살리는 방법의 하나임을 주장하며, 글을 쓰고 내 책 만들기를 경험한 방법을 제공한다.

공자는 논어에서

'군군신신 부부자자(君君臣臣 父父子子)'

라고, 말했다. 이는 "임금이 입금답고, 신하가 신하답고, 아버지가 아버지답고, 자녀는 자녀다워야 한다"라는 의미다. 이는 모든 국민이 자신의 역할을 제대로 해야 질서가 바로 선다는 의미다. 사람은 자기 일을 제대로 해야 존중받는다는 의미가 있다. 특히 전문성을 갖춘 사람은 더욱 제대로 역할을 바르게 해야 한다고 강조하고 싶다.

국가의 미래는 국민이고, 미래 국민은 학생들이다. 학생을 가르치는 사명감으로 교육을 실천하는 교사는 많다. 그뿐만 아니라 주어진 일에 열정과 사랑으로 열심히 최선을 다하며 지내는 교사는 더더욱 많다.

Learning by Doing

교사 경험으로 제언이다. 학교 수업에선 평가점수가 중요한 게 아니라, 학생 경험과 능력이 우선이다. 무엇을 만들거나 글을 작성하면서 성공과 실패를 경험하는 거다. 배우면서 실수도 하고 잘못도 저지른다. 스스로 잘못을 깨닫는 기회를 주면 좋은 것이다.

학교 수업 시간은 배우고 익히는 것을 경험하는 시간이다. 이를 통하여 창의적인 능력과 협동하며 의사소통하는 역량을 기르고 찾아주는 역할을 하는 시간이다.

수업 시간에 무엇을 해야 할까?

지식도 중요하지만, 문제 해결 능력이 더욱 중요하다. 따라서 수업 시간에는 어떤 문제를 해결하는 경험, 토의·토론, 글쓰기를 많이 해야 한다. 과정 중심평가는 관찰하고 살펴보는 일이 중요하다. 수업 과정의 지식과 기능 태도를 평가하는 거다. 특히 피드백할 내용을 찾아 제대로 가르쳐 주는 게 유능한 교육자다.

수업 시간은 실수와 실패의 경험을 제공하는 창의적인 역량을 기르는 교육이다. 학생이 원하는 걸 가르치는 게 아니라, 핵심 역량이 함양되도록 도와주는 시간이다.

학교 수업 시간이 재미 추구와 게임 위주라면 시간도 잘 가고 흥미 있게 지낸다. 이런 수업은 연중 할 수 없다. 재미와 흥미만을 추구할 수 없는 이유는 많다. 청소년 시기엔 또박또박 차근차근하게 가르칠 게 너무나 많다. 교과 진도 나가고 과정 중심평가 해야 하는 수업 시간이다.

Learning by Doing은 경험이고 실천이다. 개인의 능력을 함양하도록 경험의 기회를 많이 제공하는 게 학교다. 그러나 현실에선 학생들 개개인의 능력도 중요하지만, 학업 성적이 중요하다. 개인 성적은 진학과 미래 진로에 영향을 미치기 때문이다. 개인에게 중요한 것은 적성이다. 잘하는 분야, 좋아하는 분야를 찾도록 기회를 주는 것이다. 개개인이 적성에 맞는 직업을 찾게 안내하고, 적합한 능력을 기르는 게 교육의 본질이다.

이제는 덕후의 시대요, 지식 창조의 시대이다.

유·초·중·고등학교에서 청소년에게 세상을 탐색하는 길잡이 역할을 수업 시간에 하는 것이다. 수업 시간은 4C 능력을 배우고 익히는 시간이다. 창의력 향상과 문제 해결 능력을 길러주며, 지식을 지혜로 바꿔주는 시간이다. 수업 시간이 능력 함양을 위하는 주춧돌이다. 따라서 미래인재로 성장하는 데 중요한 수업 시간에 최선을 다해야 한다.

교사와 학생이 일기를 쓰는 습관이 되면, 인격 형성에 길잡이가 된다. 하루를 반성하고 느끼는 감동은 인간성의 기본이다. 글쓰기는 인성교육이다. 글은 세상을 널리 이롭게 한다. 따뜻한 세상을 만드는 데 매우 중요하다. 지금 글쓰기는 나를 찾는 여행의 시작이다.

우리나라 교육의 이념은 홍익인간(弘益人間)이다.

교육법 제1조

"교육은 홍익인간의 이념 아래 모든 국민으로 하여금 인격을 완성하고, 자주적 생활능력과 공민으로서의 자질을 구유하게 하여, 민주국가 발전에 봉사하며 인류공영의 이상 실현에 기여하게 함을 목적으로 한다."

너희와 내가 만날 확률

김은솔

꿈만 같던 신규교사의 첫해가 쏜살같이 지나갔습니다.

간절히 원하던 저의 꿈이었기에 한없이 감사하고 행복했던 2023년을 다시 회상해봅니다.

두렵고 막막했던 임용고시 수험생 시절 내내 제가 만날 미래의 학생들을 상상하며 버텼던 것이 엊그제 같습니다.

어둡고 긴 터널이라는 수험생 시절을 지나 이제 터널 밖으로 나왔습니다. 긴 터널을 나와 만나게 된 저의 첫 학교와 첫 담임을 맡게 된 3학년 5반과 함께한 2023년은 제 인생의 반환점이자 모든 것의 시작점입니다.

한해 동안 많은 것을 배우고 한 걸음 더 성장한 시간 속에서 느꼈던 학교 일상 이야기를 시로 노래했습니다.

종례 후 아이들을 집에 보내고 느꼈던 감정, 반성한 것들, 새로 깨달은 것들을 문서에 끄적끄적 적었습니다. 이러한 구체적인 감정들을 글로 적지 않으면 나중에 까먹어버릴 것 같았기 때문입니다. 제가 느꼈던 감정들은 어떤 다른 것과 견줄 수 없이 소중하고 다시는 느끼지 못할 수도 있는 감정일 것으로 생각합니다.

이렇게 제가 느낀 감정을 시로 노래할 수 있어 감사하고 행복할 뿐입니다. 제 삶의 반환점이자 시작점에 함께 해준 우리 반과 학교 공동체의 모든 구성원께 감사의 마음을 전합니다.

교실 앞문

2023년 3월 2일

오전 8시 40분

내가 그토록 만나고 싶었던 너희를 만나기 직전,

3학년 5반 앞문 앞에서 서성인다.

내 앞에 드넓게 펼쳐진 문 뒤에는 바로 너희가 있다.

이 앞문을 경계로 나의 세상은 달라진다.

앞문을 열면 너희를 보게 되기 때문이다.

교실 앞문을 경계로 내가 꿈꾸던 세상이 펼쳐진다.

나는 너희를 보기 위해 살아왔을지도 몰라.

너희를 그리워하며 수험생 시절을 버티고 또 버텼다.

내가 그토록 만나고 싶었던 너희를 만나기 직전,

3학년 5반 앞문 앞에서 서성인다.

출석부

하루 일 중 빼놓을 수 없는 중요한 한 가지.
내가 가르치는 학생들의 이름이 적혀있는 책.
교탁에서 나를 기다리고 있는 책.
출석부.

책의 무게만 무거운 것이 아니라 그만큼 나의 책임감도 무겁다.
출석부 속의 이름을 말하는 나는
너희에게 얼마나 큰 영향을 끼치는지 나는 안다.

수업 시작 전 출석부를 펼치고 호명하는 나는
참으로 복 받은 사람이다.
매일 하루하루 다양한 학생들의 이름을 마주한다.
그 이름 속에 담긴 너희들의 삶.

출석부에 담긴 이름들은 내가 소망한 나의 소원.
진실로 이름을 불러주고 싶다.
바로 너희 자체가 나의 소망이다.

레드카펫

어렸을 적
나는 레드카펫을 밟아보고 싶었다.
수많은 기자와 카메라 플래시들이 나를 환대하는 레드카펫.

교사가 된 나는 매일 레드카펫을 밟는다.
교실 문을 열고 들어가는 순간,
나는 나만의 레드카펫을 밟는다.

학생들의 눈은 나를 바라보고,
나의 행동 하나하나를 관찰한다.
학생들의 눈은 카메라,
내가 걷는 교실의 모든 길은 레드카펫이다.

나의 모든 언행을 신경을 쓰게 된다.
나를 바라보는 수많은 학생.
내가 선택한 나의 길.
그래서 나는 더없이 행복합니다.

상추

금요일 종례 후,
주말이 쏜살같이 지나가고
월요일에 너희들을 다시 만난다.

월요일 조회 시간.
너희들의 키가,
너희들의 앞머리가,
너희들의 눈빛이
눈에 띄게 자란 것이다.
너희들은 지금 성장하고 있구나.

마치 매일 보면 모르지만
가끔 보면 너무나 자란 내 텃밭 속 상추처럼.
매일같이 성장하고 있는 상추와 다른 모든 생명처럼.

너희들도 매일 고군분투하며
성장하느라 고생이 많구나.

급식 시간

학생들이 가장 기다리는 시간
급식 시간

급식을 먹고 있는 학생들을
보고 있노라니
참으로 맛있게 먹는구나.

많이 먹고 적절한 영양소를 섭취하자.
많이 먹고 몸도 마음도 쑥쑥 자라자.

문득 학생들에게 주는
나의 관심, 사랑도
학생이 급식을 먹는 것처럼
맛있게 먹었으면 좋겠다.

부디 거부하지 말기를.

개학식

첫 방학이 끝나간다.
내일은 개학식.

괜히 긴장된다.
긴장되어 잠이 오질 않는다.
자꾸만 너희들이 떠오른다.

내 마음 알지?
너희도 똑같겠지?

너희나 나나!
영락없는 사람이다.

방학이 좋다.

너희와 내가 만날 확률

너희와 내가 어떤 확률로 만나게 되었을까.
우리를 만나게 한 모든 과정이 감사해.

내가 너희의 이름을 부를 수 있어 감사해.
내가 너희의 얼굴을 볼 수 있어 감사해.
내가 너희의 목소리를 들을 수 있어 감사해.

감사한 것이 이렇게나 많음을 느끼게 해준
우리 반에 감사해.

자꾸만 감사하다고
시로 노래하게 된다.

난 오늘도 너희들의 존재로
감사함을 느낀다.

미술 교사

교사가 된 후 나의 고민 중 하나는
학생들이 미술 교과에 대해
어떻게 해야 흥미를 느낄 수 있게 하는 것이다.

학생 대부분이 가지고 있는 고정관념은
학교의 미술 시간은 단지 그림만 그리는 시간이고,
그림을 잘 그리지 못하면 미술을 못 하는 것이라는
잘못된 생각을 하고 있었다.
한마디로 '미술은 어렵다. 미술은 나와 별 관련이 없다.'라는
것이다.
미술 교사로서 이런 잘못된 고정관념을 타파해야 한다.

미술 시간.
얘들아, 미술은 점, 선, 면, 색 등으로 이루어져 있단다.
이걸 미술의 기초인 조형 요소라고 하지!
그렇다면 만약 우리가 사는 세상이 흑백이라면 어떨까?
우리의 교복에 아무 무늬가 없다면 어떨까?

우리가 사는 세상은 점, 선, 면, 색, 형으로 이루어져 있단다.
교실의 사물함, 학교의 창문, 운동장의 축구 골대 등
모든 것이 미술이란다.

그렇다면 우리한테 조형 요소가 있을까?
선생님! 콧구멍이요!
반 전체가 웃음소리가 끊이지 않는다.
그렇다.
콧구멍이 점도 될 수 있고 형태가 될 수 있다.

미술은 우리와 관련 없는 것이 아니다.
우리 자체가 미술이다.
아름다운 가치가 충분히 내재되어 있는 미술 작품 그 자체라는 것.
콧구멍마저 조화로운 너희들.

학생들이 모든 세상과 세상 속에 살아가는 자신의
미적 가치를 발견하는 사람으로 성장하길
바라는 나는 미술 교사이다.

철학가

교육철학.

바로 교육의 지혜를 사랑하는 것이다.

삶 속에서 실천하는 지혜를 사랑하는 철학가.

이 철학가는 교사이다.

학생의 지혜를 사랑하면

나 자신도 사랑하게 된다.

학생을 보면서

나 자신도 성찰하게 되는 마법의 지혜를 얻게 되기 때문이다.

교사는 교육의 지혜를 사랑하는 철학가로구나.

나 자신을 사랑하고

나의 가치를 발견함으로써

내가 학생의 지혜를 사랑할 수 있다.

교사와 학생은 떨어질래야 떨어질 수 없는
불가분의 관계.

학생의 지혜를 사랑하자.
교육의 지혜를 사랑하자.

앞으로도 부단히 발전하는
교육철학가 될 것이기에
행복합니다.

사각형의 공간

우리 반
3학년 5반.

한 해 동안 우리에게 주어진
사각형의 공간에서
우리는 함께 성장하고 있다.

기쁜 일, 슬픈 일 다 겪으며
각자 나름대로 쑥쑥 자라고 있다.

이 사각형의 공간에서
얼마나 많은 언어가 오고 갔을까?
얼마나 많은 감정이 피어올랐을까?

이 사각형의 공간이
나에겐 꿈이었고 전부였다.

이제 이 사각형의 공간을
내가 만들고 꾸밀 수 있어 감사하다.

우리는 같은 공간에 있다.
사각형의 공간은 교실이고
교실은 곧 드넓은 우리들의 마음이다.

우리들의 마음이 한데 모여
새로운 공간을 창조하는 이 공간

새로운 공간은
아마
사랑이었으면 좋겠다.

사랑받아 마땅한 너희들.
우리 반 3학년 5반.

교사의 예술 작품

학기 말
학교는 학교생활기록부를 생성하기 위해
무척이나 바쁘다.

몇백 개의 학교생활기록부를 만들어내야 할
교사들.
혹여라도 내가 놓친 부분이 있을까?
틀린 내용이 있을까?
오타가 있을까?
노심초사하며 검토 또 검토한다.

학생 한 명의 학교생활기록부에는
최소 몇십 명의 교사의 노력이 담겨 있다.
다양한 교사의 언어들이 관계된다.

이것이야말로 교사들의 협동 공동체 작품이다.
아주 예술적이다!

교실 정리

눈물의 이별 후 교실을 정리한다.

사진과 게시물들을 치우고
사물함을 비운다.
책상을 닦고 마지막 대청소를 한다.

텅 빈 교실을 보니
한 해 동안의 너희가 살아 움직이는 듯이
내 앞에 보인다.

앞으로 얼마나 많은 학생이
이 교실에 올까.
얼마나 많은 숨결이 이 교실에 가득 찰까.

미래의 그 학생들의 행복을 미리 기린다.
사랑이 꽃피울 이 교실에서 행복할 학생들을.

감사의 글

시로 제가 느꼈던 감정을 노래할 수 있음에 감사합니다.

시는 광활한 들판과 같습니다. 시 속에는 무수한 감정들이 생동하게 살아있습니다. 풀이 바람에 흩날리는 것처럼 살아 생동하는 감정이 춤추기 때문입니다. 드넓은 들판에서 이리저리 뛰어노는 아이들도 떠오릅니다. 저는 비록 문자로 노래하였지만, 문자가 기운생동(氣韻生動)하게 살아 춤추고 있습니다. 기운이 충만하여 살아 움직이는 문자이죠. 시의 힘은 참으로 무궁무진하리라 믿습니다.

학생들과 함께한 2023년은 저에게 더없이 행복한 나날들이었습니다. 기운생동한 나날을 행복하게 만들어가며, 성장하는 교사가 되리라 다짐합니다. 감사합니다.

신규교사 경험 이야기

김현수

"교사는 수업과 평가를 잘해야 합니다."

"어떻게 해야 수업을 잘하는 건가요?"

"기본 개념을 충실히 이해할 수 있도록 해야 하죠."

이 짧은 대화는 내가 임용에 합격하고 2월 신규 연수를 받을 때 국어과를 담당하셨던 경력 교사분과 나눈 질의응답이다. 이때의 조언을 마음 깊이 기억하며, 항상 기본 개념에 충실한 수업을 하고자 노력했다. 그런데 막상 교사 생활을 하다 보니 수업 하나만 문제가 아니었다.

담임, 생활지도, 행정업무, 학생과의 관계, 동료 교사와의 관계 등등 신경을 써야 할 점들이 너무나도 많았다. 모든 것들을 훌륭히 해내고 싶다는 욕심과 너무 부족한 실무 경험이 충돌하면서, 문득 내가 신규교사에게 연수하는 장면을 상상하며 나는 이러이러한 조언을 해주어야겠다고 생각했었다.

이 글은 그때의 상상을 구체화한 출발점이라고 할 수 있다. 말하자면 '신규교사가 알려 주는 신규교사 실전 안내서'인 셈이다.

물론 신규교사가 조언한다는 발상이 부적절하다고 생각할 수도 있으나, 오히려 신규이기에 신규의 어려운 점을 가장 생생하게 알 수 있고, 필요한 도움 방법을 나눈다면 함께 성장할 좋은 기회가 될 것으로 생각한다.

첫째, 전문성을 갖춘 수업을 준비하기 위하여

수업 시간에 학생들이 떠들고, 엎드려 자고, 말을 안 듣는 모든 문제 상황들은 상상만으로도 교사로서의 자존감을 크게 깎는다. 반대로 학생들이 수업에 열심히 참여하고, 선생님 수업이 재밌다며 좋아하고, 수업 종료를 알리는 종이 쳐도 학생들이 열띤 모습으로 토의하는 모습은 그 어느 때보다도 뿌듯한 순간이 된다.

학창 시절에는 유명 최고 인기 강사처럼 카리스마 넘친 모습으로 학습 내용을 멋지게 판서하는 모습을 동경하기도 했다. 그러나 지금은 아주 다르다. 학생이 주인공이 되어 스스로 질문하고, 토의하며, 탐구하고, 발표하는 학생 중심 수업을 운영하고 싶었다.

이를 위해 내가 즐겨 사용하는 방법은 검색과 독서이다. 먼저 인터넷에 '국어 수업', '국어 수행평가' 등의 키워드로 검색을 하면 우리나라에 굉장히 뛰어난 선생님들이 매우 많다는 사실을 알 수 있다. 친절하신 선생님들께서 수업 후기를 남겨 놓으시고, 필요한 자료들도 기꺼이 공유해 주시기 때문에, 즐겨찾기에 추가해 놓고, 각자의 학교 및 학급 상황에 맞게 재구성하여 사용하면 된다. 몇 번 따라 하다 보면 수업 방법에 대한 자신만의 아이디어가 떠오르게 될 수도 있다.

다음으로 여러 선생님이 쓰신 저서를 찾아 읽는 것도 좋은 방법이다. 난 지금까지 국어 수업을 위해 하고운 선생님의 '우리들의 문학 시간', 서현숙, 허보영 선생님의 '독서동아리 100개면 학교가 바뀐다.', 김선자 선생님 등 7명이 공동 집필한 '별별 학습코칭' 등 방학 때마다 최소 한 권씩 책을 읽고 국어 수업을 준비했다. 그밖에 지문 선정을 위한 일반교양 서적과 최신 전공 서적, 교육청에서 제공하는 수업 자료집 등을 활용할 수 있다. 수업 자료가 쌓이고 쌓이면 교사로서 가장 큰 재산이 될 수 있을 것이라 기대한다.

그밖에 직접 만든 수업 일정표가 큰 도움이 되었다. 가장 왼쪽 칸에는 차시마다 진행할 수업 진도, 학습지 분량, 활동 내용, 필요한 준비물 등 계획 내용을 기록하고, 오른쪽 칸에는 학급별로 칸을 배분해 한 차시마다 실제로 어디까지 수업을 진행했는지 적어 놓았다.

수업 진도를 확인해서 배부할 학습지를 준비하거나, 정기고사를 대비해 통일성 있게 안내 사항을 전달해야 할 때, 활동 중 뛰어난 활약을 보인 학생의 관찰 내용을 나중에 생활기록부의 세부능력 및 특기사항 작성할 때 큰 도움이 되었다.

참고로 세부능력 및 특기사항 작성이 학기 말의 가장 큰 산으로 여겨지는데, 방학 때나 학기 초에 수행평가를 준비하며 미리 어떤 형식으로 작성할지 예시를 작성해 놓으면 큰 도움이 된다. 어떠한 역량 향상을 목표로 하는지 미리 준비해 놓으면 이에 맞게 수행평가를 구상하고, 실제 활동을 관찰하기에 쉽다.

<요약>

1. 수업 준비를 위해 검색과 독서를 활용하자.
2. 수업 진행의 나침반이 되어 줄 수업 일정표를 만들자.
3. 세부능력 및 특기사항 기록 양식을 미리 준비하자.

둘째, 이상과 현실의 균형을 맞추는 담임이 되기 위하여

담임 교사는 교사의 꽃이라지만, 생활지도의 어려움으로 가장 꺼리는 업무가 된 것 역시 현실이다. 꿈많은 신규교사라면 학급 아이들과 잊지 못할 추억도 쌓으며 좋은 관계를 맺고 싶을 것이다. 하지만 안타깝게도 쏟아부은 열정이 클수록 예상치 못한 사건이 발생했을 때 학생에게 배신감을 크게 느끼는 경우도 가끔 보았다. 요즘 아동학대에 연루되어 고통스러워하는 교사분들의 사례가 이슈로 떠오르고 있는 만큼 교사의 열정을 유지하면서 자기를 보호하기 위해 몇 가지를 안내하고 싶다.

내가 신규교사로 생활하면서 가장 신경 쓰였던 문제가 바로 학생들의 출결이었다. 출석하지 않았다면 일단 학생이나 학부모님께 연락해서 몸이 아파서 오지 않은 것인지, 늦잠을 자서 오지 않은 것인지, 아니면 다른 문제가 있는지 사유를 확인해야 한다. 만약 특별한 문제가 있는 경우라면 나이스에 누가 기록을 꼭 남겨야 한다. 누가 기록은 출결만이 아니더라도 학교생활을 하면서 상담 및 교육한 내용을 그때그때 적어놓는 것이 좋다.

학생을 가장 가까이에서 관찰하며 성장을 살펴보아야 한다는 원론적인 이유만 있는 것은 아니고, 혹시라도 모를 민원을 예방하기 위해서라는 현실적인 이유 때문이라는 사실을 접했을 때, 충분히 이해되면서도 씁쓸하지 않을 수 없었다. 하지만 나의 교육 열정을 지속시키는 방법이라고 긍정적으로 생각할 수밖에 없다.

그리고 나이스 출결 기록은 매일 매일 퇴근 전에 남기는 것이 좋다. 매월 출결을 마감하고 결석계를 제출해야 하는데, 한 달의 출결을 한 번에 처리하려고 하다 보니 생각보다 시간이 오래 걸리고 종종 실수도 하게 되기 때문이다. 결석이 많은 학급이라면 결석계 관리용 L자 파일이 유용하게 쓰인다. 교무 수첩에 결석계와 진료 확인서를 잔뜩 껴 넣는 것보다는 관리하기 훨씬 편하다.

신규교사들이 담임 학급에 많은 애정을 쏟다 보면, 때로는 몸이 힘들어 지치는 경우가 있다. 나도 처음에는 하나하나 챙겨 주고, 확인했었는데 나중에는 내가 지쳐서 몇 가지는 손 놓게 되는 일이 발생해 자책하는 때도 있었다.

이 사안에 대해 고민해보니 내가 하나부터 열까지 챙기는 것이 결코 교육적이라고 할 수는 없겠다는 결론을 내리게 되었다. 내려놓아야 한다. 방임하라는 것이 아니라, 학생들이 자율성을 기를 수 있는 기회를 주어야 한다는 뜻이다. 이때 가장 필요한 것은 학급별 1인 1 역할이다. 학기 초에 학급회를 조직하면서 형식적으로 부여하는 때도 많은데, 평소 말없이 조용하게 생활하는 학생이 역할 수행에 있어서만큼은 적극적으로 나서는 모습을 보며, 실제로 학생들의 책임감을 길러 줄 수 있는 좋은 제도임을 피부로 느낄 수 있었다.

그런데 학급을 운영하다 보면 1인 1 역할에 포함되지 않는 사안이 발생할 수도 있다. 내 경험으로는 학급 앨범 제작이 바로 그러한 경우였다. 내 욕심으로는 내가 직접 사진을 선별하고, 예쁘게 배치하고, 적절한 설명도 넣어서 꾸미고 싶었으나, 학기 말에는 이 외에도 해야 할 업무들이 매우 많으므로 담임 혼자 도맡아 처리한다는 것은 거의 불가능에 가까웠다. 이런 경우 관심 있는 학생들의 도움을 얻어 진행하는 것이 교육적으로도 유의미하다.

실제로 먼저 자원하는 학생들이 종종 있는데, 이 학생들에게는 공동체를 위한 고마운 마음에 청소 면제권이나 자리 자유 지정권 등을 주면 학생들도 매우 좋아하고, 봉사가 내 삶에 도움이 된다는 간접 학습이 될 수도 있다.

학급에 문제가 발생했을 때 담임 교사 혼자 고뇌하고 해결하려 하면, 때로는 강압적으로 학급을 운영하게 되기도 하고, 이로 인해 학생들과도 거리가 멀어지는 경우가 있다. 이때 필요한 것이 학급 회의이다. 학급의 문제를 해결해야 하는 주체는 교사 혼자만이 아니라, 교사와 학생들 모두라고 생각한다. 문제의 심각성을 구성원 모두가 공유하고 이를 해결할 방법을 논의하며 책임을 분담해야 한다. 학생들의 해결방안이 비현실적으로 보일지라도 실패의 과정 역시 교육적으로 유의미하며, 규칙은 한 번 정해지면 끝나는 것이 아니라, 계속해서 수정할 수 있다는 점에서 민주주의적 가치 역시 배울 수 있게 된다.

내가 맡은 학급에서도 전자 기기 사용 문제로 한동안 시끄러웠었다. 처음에는 학급 회의를 통해 응보적이고 극단적인 해결 방법이 제시되었었으나, 이러한 방식이 근본적인 해결로 이어지지 못한다는 것을 학생들 스스로가 깨닫고, 알아서 선을 지키며 행동하게 되는 과정을 일 년간 지켜볼 수 있었다.

참고로 학급 회의를 진행하면 교사는 모든 과정을 관찰하고 기록해야 한다. 처음에는 그냥 가만히 지켜보기만 했는데, 학급 회의에서 창의적인 아이디어를 제시하거나, 공동체를 위해 활약한 내용이 생활기록부의 자율 활동이나 행동 특성 및 종합의견에 적어 주기에 매우 좋을 것 같다는 생각이 늦게서야 떠올라서 후회했었다. 다시 한번 강조하자면 학생들의 활동은 최대한 기록으로 남겨 놓는 것이 좋다.

마침 생활기록부에 관한 이야기가 나왔으니, 행동 특성 및 종합의견에 도움이 되었던 몇 가지 정보를 공유하고자 한다. 도대체 어떤 내용을 더 써야 하는지 머리 싸매며 고민한 결과, 유용했던 두 가지가 있다.

첫 번째는 발달 내용의 분류이다.

학생이 성장한 점을 인지적 측면, 정의적 측면, 사회적 측면, 행동적 측면, 진로 측면으로 나누어 정리했었다. 요즘 대학 입시에서 크게 학업 역량, 진로 역량, 공동체 역량을 살펴본다고 하는데, 인지적 측면으로 평소 학생에 대해 다른 교과 선생님들이 어떻게 평가하는지, 쉬는 시간이나 점심시간에 어떤 공부를 하는지, 플래너를 작성한다거나 모르는 어휘는 찾아본다거나 하는 공부 습관들을 기록하면 학업 역량을 살펴볼 수 있는 좋은 방법이 될 수 있을 것으로 생각한다.

정의적 측면에는 평소 어떤 분야에 관심이 있다거나, 여름맞이 대청소 시간에 자원해서 선풍기를 닦으며 봉사 정신을 발휘하거나, 바른 말씨를 사용하고 친구의 고민을 종종 들어주는 모습 등을 통해 공동체 역량을 보여줄 수 있는 점을 부각하고자 한다.

사회적 측면에서는 교우 관계가 어떠한지를 적어 준다. 다른 학생들에게 어떤 방식으로 다가가고, 갈등 해결에는 어떤 태도를 보이는지 등 더욱 성숙한 어른으로 성장하길 바라며 상담한 내용을 참고한다.

행동적 측면은 처음에 운동 좋아하는 학생들을 위해서 떠올리게 되었다. 평소 쉬는 시간마다 체력 단련실에 가서 운동하거나, 점심시간마다 축구를 하는 학생들을 보며 이 역시 학생들의 굉장한 장점으로 여기게 되었다. 이에 대한 연장선으로 학교 체육 대회나 축제에서 어떤 활약을 보였는지 등을 참고하여 기록했다.

마지막으로 진로 측면에서는 진로 활동에서 적지 못한 내용을 적어 주었다. 진로가 확고한 학생들에게는 그 분야에 굉장히 관심이 많고 어떤 노력을 기울이고 있는지 적어 주었고, 아직 탐색 중인 학생에게는 자신을 이해하고 관심사를 탐구하기 위해 어떤 계획을 세워 어떤 실천을 했는지 진로 역량이 충분히 보일 수 있도록 적어 주었다. 이렇게 학생의 능력을 분야별로 나누어 정리하고 기록하면 학생들의 다양한 측면을 떠올리기에 훨씬 유용하다.

두 번째 방법은 학생들과 나누었던 메시지를 살피는 것이다. 메시지에는 나이스 누가 기록에 쓰인 정제된 언어 외에 조금 더 실감 난 학생의 모습을 살펴볼 수 있었다. 담임 교사에게 보내는 첫 문장을 통해 학생들의 언어 습관과 예의범절을 살필 수 있었고, 학급 단합대회에서 수고했다고 보냈던 메시지를 보면서 그 학생이 어떤 역할을 했었는지 구체적으로 떠올릴 수 있었다.

마지막으로 학급 운영에 도움을 얻었던 매체를 몇 가지 소개하며 담임 업무 내용을 마무리하고자 한다. 장홍월, 주예진 선생님의 '신학기가 두렵지 않은 차근차근 학급경영'은 우연히 중고 서점에서 보고 샀던 책인데, 학급의 일 년 계획부터 특색있는 학급을 경영하는 데에 큰 도움이 되었다. 다음으로 임용 준비생의 필독서로 알려진 '교실 속 갈등 상황 100문 101답'이다. 교육적 변화가 한 번에 나타나는 것이 아니기에 마음을 다잡고, 위로를 얻을 수 있었다. 또한 오은영 박사님이 등장하는 프로그램도 종종 시청하는데, 아이들을 위한 진심 어린 마음을 보며 교사로서의 교육관을 형성하는 데 가장 큰 도움을 얻었다.

<요약>

1. 출결은 생각보다 큰 문제가 될 수 있다. 항상 기록하자.
2. 1인 1 역할과 학급 회의로 책임감을 분담하고 자율성을 높이자.
3. 행동 특성 및 종합의견에는 학생 능력을 분야별로 나눠 작성하자.

셋째, 행정업무에 당황하지 않는 교사가 되기 위하여

아마 행정업무 힘들다는 이야기는 많이 들어봤겠지만, 사실상 대학 교육과정에서 아무 대비 없이 현장에 투입되는 경우가 바로 행정업무라고 생각한다. 신규 연수 때 문서등록 대장을 잘 활용하라고 들었는데 에듀파인, 나이스 등 모든 것이 낯선 상황에서 귀에 잘 들어오지 않는 게 현실이다.

내가 가장 유용하게 활용한 방법은 전임자의 이름을 문서등록 대장에서 검색하여 쭉 살피고 월별로 진행한 업무를 한글 프로그램으로 정리해서 출력한 뒤 자리 한쪽에 붙여 놓은 것이었다.

예를 들어 학교폭력 관련 업무를 한다면, 3월에는 학교폭력예방교육 계획서를 작성하여 교육청에 제출하고, 어울림 운영 주간을 실시하며, 4월에는 학부모 대상 가정통신문 발송과 창의적 체험활동 시간에 진행할 학교폭력예방교육 교육 내용을 준비했다. 이런 식으로 월별로 해야 하는 굵직굵직한 업무를 개조식으로 정리하면 업무 시기를 놓치지 않을 수 있다.

'OO 가이드북', 'OO 요령', 'OO 매뉴얼' 등의 설명서를 꼼꼼하게 숙지하라는 말도 아마 들어는 봤을 것이다. 교사가 된 순간 공부라면 이제 징글징글할지도 모르겠지만, 우리가 가장 잘할 수 있는 것은 결국 공부밖에 없다.

임용 준비한다는 생각으로 밑줄 치면서 공부했다. 문제는 설명서에 없는 다양한 상황이 펼쳐진다는 것인데, 우선 부장 선생님께 문의하거나 교육청에서 근무하고 있는 장학사님께도 문의하는 것도 가장 확실하고 좋은 방법이다. 나는 운 좋게 중학교 때 은사님께서 시 교육청 담당 장학사로 근무 중이셨다. 신기함도 잠시, 업무 처리를 위해서는 철판을 깔고 꼭 물어가면서 업무를 처리해야 한다.

신규교사들이 질문을 어려워하는 이유 중 하나는 아무래도 '질문의 악순환'을 때문일 수 있다.

모르는 점을 질문하면, '이거 저번에 알려주지 않았나?

언제까지 물어볼 거야?'라는 답변이 올까 걱정이 된다.

이로 인해 부담스러워서 질문하지 않으면 '물어보고 하라고 했잖아.'라는 답변이 오는 딜레마적인 상황을 유머 있게 표현한 것이 바로 '질문의 악순환'인데, 이를 막을 수 있는 가장 좋은 방법은 메모이다. 신규 때는 업무 내용을 기록한 노트를 따로 하나 준비해서 활용하는 것이 좋다. 내가 그날그날 어떤 업무를 했고, 학교 와이파이 비밀번호는 무엇인지, 품의 금액별 결재 라인은 어떻게 되는지 하나부터 열까지 기록해두면 큰 도움이 된다.

교사의 업무 중 일 년에 한두 번만 하기에 할 때마다 까먹는 업무도 많이 있다. 이때 메모해둔 노트를 펼쳐서 확인하면 된다. 물론 기억이 나지 않는다면 다시 한번 강조하지만, 민망해도 꼭 물어보고 하는 것이 좋다.

<요약>

1. 문서 등록대장을 확인해서 업무 일정표를 준비하자.
2. 업무 매뉴얼 숙지하고, 부장 선생님과 장학사님께 질문하자.
3. 노트를 따로 하나 마련하여 업무 내용을 기록하자.

넷째, 동료 교사들에게 인정받는 신규교사가 되기 위하여

진로 관련 업무를 맡은 교사 B가 신규교사인 A에게 학년별로 진로 업무를 나누어서 하자고 업무 협조를 요청했다. 그러나 교사 A는 자신의 원래 업무가 아닌 진로 관련 업무에 부담을 느끼는 상황이다.

만약 본인이 A 교사라면 어떻게 대처할 것인지 말씀하시오.

위의 내용은 임용 2차 면접 기출 문제이다.

실제로 동료 교사 업무 관련 문제, 수행평가 관련 문제, 생활지도 관련 문제, 학급 운영 관련 문제 등 다양한 갈등 상황에서 어떻게 대처할지를 묻는 문제가 종종 나오곤 한다.

일종의 갈등 예방 차원에서 동료 교사와 우호적 관계를 유지하고, 귀여움받는 신규교사가 될 수 있는 몇 가지 팁을 공유하자면, 먼저 나는 대용량 과자를 한두 봉지 사서 갖고 다녔다. 같은 층의 선생님들뿐만 아니라, 업무 때문에 다른 층 교무실이나 행정실에 갈 때마다 주머니에 대여섯 개 집어넣고 하나씩 드렸다.

조금 유치해 보이기는 해도 서로 얼굴 마주 보면서 한 번씩 웃어주는 것만으로 관계 형성에 긍정적으로 작용한다. 구체적인 상표를 언급할 수는 없지만 나는 허니 쌀과자를 구매해서 드렸는데, 좋아하시는 선생님들이 많았다.

다음으로 인사를 잘해야 한다.

인사만 잘하고 다녀도 신규교사를 생각하는 선생님들의 평가가 달라진다. 안타깝게도 인사를 잘 하지 않거나, 잘 받아주지 않으면 꼭 입방아에 오르는 사례를 종종 보았다.

인사 하나까지 평가받는 상황이 과연 온당한지 따져보기 이전에 사회생활을 배워나간다는 점에서 참고하면 좋을 것 같다. 참고로 나는 급식실에서 가장 큰 효과를 보았다.

내가 근무한 학교에서는 교사들도 학생들과 같은 줄에 서서 밥을 먹었는데 그때마다 인기 많은 반찬을 많이 받을 수 있었고, 다른 신규 선생님들의 부러움을 사기도 했다. 나는 그 비결이 조리원분들께 큰 목소리로 인사를 했기 때문이라고 생각한다.

걱정했던 것보다 학교 현장에는 배려해 주시고, 도움 주시는 선생님들이 아주 많다. 신규교사로서 여러 업무를 수행하며 힘들고 지치는 경우가 많았는데, 버틸 수 있었던 이유는 바쁠 때마다 동교과 선생님, 같은 부서의 선생님들께서 기꺼이 도움의 손길을 주셨기 때문이다.

사람은 사람에게 상처받는 경우도 많지만, 사람에게 위로받는 경우도 많다는 말을 기억하며 원만한 관계를 유지하길 바란다.

<요약>

1. 작은 간식은 관계를 여는 효과적인 도구이다.
2. 인사를 잘하자.

일이란 무엇인가?
도움과 민폐를 주고받으며 서로의 인생을 포개어 가는 것

위의 문장은 어떤 연수에서 들었던 말인데 너무 좋은 말로 여겨져서 항상 가슴 속에 담고 있다. 작은 실수에도 괴로워하며 다른 사람들에게 민폐를 끼쳐 괴로웠던 마음이 이해가 되었고, 동시에 나도 다른 사람에게 기꺼이 도움을 줄 수 있는 사람이 되겠다는 다짐을 했다.

이 글에 서술한 내용 외에도 안내하고 싶은 내용이 너무 많지만, 신규교사로서 직접 사용해 본 방법 중에 가장 유용했던 점들을 몇 가지 공유해보자는 마음으로 이 글을 시작했으므로, 이 정도에서 마무리하고자 한다.

무엇보다 글을 쓰면서 내가 즐거웠다. 4월 어느 날 동료 교사 두 명과 벚꽃 흩날리는 카페에 가서 고구마 라떼를 마실 때 느꼈던 감격을 다시 느낄 수 있는 시간이었다. 교구를 제작하며 수업을 준비하고, 학생들과 소통해 나가는 과정을 곱씹으며 지금 이 마음과 열정을 오랫동안 이어나갈 수 있기를 스스로에게 바란다.

행복한 학교생활 이야기

노창민

초년엔?

교원 발령받고 설레는 마음은 누구나 똑같겠지만 30년 전 나는 좀 다르게 시작했던 것 같다.

수업 준비를 마치고 첫 수업에 들어갔을 때, 학생들은 기대와 긴장으로 가득 찬 모습으로 처음 부임해 오는 영어 선생님을 기다리고 있었다. 첫 시간이니 “학생들을 잘 이해하고, 친근한 분위기를 조성하는 게 중요하다.”라고 생각되어 다정한 어조로, 그러면서 조금 위엄을 보이려는 마음으로 지침을 명확히 전달하며 학생들과 교감하려고 노력했다.

수업은 자기소개와 관련된 활동으로 시작했다.

학생들에게 간단한 질문을 영어로 하고, 그에 대한 답변을 하나씩 영어로 들어보았다. 그러나 역시 문법을 생각하느라 한 문장도 제대로 이야기하는 학생이 없었다. 그래서 예시 문장을 만들어 주고, 이름, 출신학교, 사는 곳을 영어로 말해 보게 하고, 그 이외 우리말로 자기소개로 진행했다.

처음에는 서툴고 어색한 영어로 하다 보니 몇몇 학생들이 조금 부끄러워하는 모습도 보였다. 그래도 제법 평상심을 되찾고 영어 단어가 늘어나고, 또 자신을 소개하며 흥미를 느끼는 것을 볼 수 있었다. 학생들끼리 짝을 지어 서로에 대해 더 자세히 알아보는 시간도 가졌다. 서로 질문하고 대답하는 과정에서 신선한 교류를 하면서, 수업 분위기가 더욱 활발해지는 것을 볼 수 있었다.

첫 번째 수업은 이렇게 하면서 학생들과의 소중한 인연을 만드는 계기가 되었다. 그리고 평가 방법 등을 설명하고 또 영어를 배워야 하는 이유 등에 관한 이야기를 주고받았다.

학생들은 영어를 배우는 것이 재미있고 흥미로운 경험이 될 수 있다는 것을 알게 했던 것 같다. 이렇게 처음 부임하면서 모든 것이 낯설고 어색했지만, 하루 24시간이 부족했던 바쁜 나날들을 보냈던 것 같다. 또한, 동료 교사와의 관계 유지에도 신경을 써야 하고, 시작은 거창하게 했지만 아직은 서툰 교육방식에 대한 확고한 정립과 응용, 변형 등 학생 생활 및 교육 지도 등등 어려움도 많이 있었다.

당시만 해도 엄한 학생 생활지도 분위기였다. 담임을 맡고 있었던 그때는 한 학급에 60명이나 되었다. 최근엔 1개 학급에 20명 남짓의 학생들이 배우고 있으니, 지금과 비교하면 정말 상상이 가지 않을 지경이었다. 초년 교사인 나는 정말 벅찬 일이었다. 60여 명이나 되는 학생들 이름 외우기도 버거울 정도였으니 말이다.

게다가 학기가 시작된 지도 얼마 되지도 않았는데, 한 학생은 가출했다. 며칠간 집에 돌아오지 않아 애타게 기다리던 학부모와 함께 찾아 나섰던 일이 생각난다.

그런가 하면, 생활지도 방식이 너무나 가혹하고 강압적인 교육 방식에 의해 방황하며 겪었던 고충, 동료 교사들과 친해지기 위해 퇴근 후 단골로 드나들던 치킨집 등은 아직도 생생하게 기억에 남는다.

그럭저럭 학생들 생활지도, 학생부 부원으로서 학생 교내외 생활지도 등 정신없이 보내고 나서 다시 나는 남고로 옮기게 되었다.

전근 간 학교의 새로운 환경과 낯선 동료 교사들 사이에서 어색함과 불안감과 함께 지냈다. 특히 학생들 학업 향상에 대한 부담과 나만의 교수법 정립 문제에 관해서는 그림자처럼 따라다니면서 나를 괴롭혔다. 그런데 불행 중 다행인 것은 학생들이 잘 따르고 큰 불화를 겪은 적은 없었다는 것이다.

하지만 학생 자율적 참여를 이끌어 교육해야 한다는 초심의 신념은 어디 가고, 어쩔 수 없이 세태의 흐름에 동참하여 강요에 의한 학생 학업 및 생활지도 등으로 많은 갈등을 겪었다. 자율학습 및 방과 후 수업에 불참한 학생이 가정형편에 의하여 결석하게 되는 문제에 대해서는 알려고 하지도 않은 채로 강력하게 생활지도를 했다.

학업 향상을 위한 끈질긴 학습 요구는 교사로 부임한 지 얼마 안 되는 초년 교사 시절에는 무리 그 이상이었다. 그때 그 시절의 교육방식은 모든 이들이 인정하는 과도기를 겪은 교사들의 머릿속 한쪽에 늘 자리 잡고 있으리라.

우리 선배들의 학교생활이 영화로도 만들어져 유명해졌다. 요즘은 도저히 상상도 할 수 없는 내용이어서 그냥 상상 영화겠지 하지만, 직접 겪은 나로서는 역사의 흐름 속에서 한 컷을 선명히 잘 간직하고 있는 하나의 기억세포로써 휘둘러 흐르는 역사의 강물 속에서 둥실 떠 흘러가고 있다.

당시 고2로 복학했던 23살이었던 한 학생과의 우발사건은 늘 마음 쓰라린 상처로 남아있다. 키는 작지만 다른 학생들의 형이 되고 싶었던 그 학생은 이런저런 "심부름을 강요하고 있다"라는 반장의 이야기를 듣고 반 전체의 기강을 잡는다는 명목으로 심하게 꾸중했던 일은 항상 머릿속을 괴롭히는 가슴 아픈 일이 되었다.

조금만 더 관심을 가지고 학생 입장을 헤아리고, 좀 더 다정하고 깊이 있게 상담해 주고 어깨를 토닥여 주었더라면 훌륭한 어른이 되어 있을 텐데, 그러지 못한 점이 가슴에 못 박은 후회의 통증으로 남아있다. 또 후회되는 일 중 하나는 초년 교사로서 "상담 공부에 소홀하지 않았나!" 하는 아쉬움이다.

학생들을 이해하고 참교육을 실천하며 학생들 아픔을 어루만져 주고 실천하려고 했지만, 상담 공부에 집중하지 않고 강요에 의한 이끄는 방식의 지도 방식은 결국 시간을 낭비만 한 결과가 되었다. 그러나 그 경험을 통해 학생 한 사람 한 사람을 이해하고 깨닫게 하는 것의 중요성을 배웠다.

상담 전문성을 갖춘 실력은 아니지만, 그 이후로는 나름대로 성의 있는 자세로 학생들과 상담을 하면서 관계를 더욱 소중히 여기고 더욱 노력하는 자세를 갖게 되었다.

또, 학교생활에는 보람 있는 경험들도 많았다.

여러 가지 문법들을 예문과 함께 이해시키고, 작문 활동을 했다. 반복 학습을 통해 익히게 함과 동시에 풍부한 어휘를 학습하게 함으로써 영어 표현 능력을 크게 향상하게 되었다.

독해력 향상을 위하여 나만의 교육 방법을 적용했다. 끊어 읽기를 통한 직독 직해 연습을 많이 시킨 결과 모의고사 성적이 지역 내 경쟁에서 상위권에 이르게 했다. 오랫동안 자부심을 느끼게 했던 일 중 하나가 되었다. 장학사, 교장 선생님과 그 외 많은 선생님 앞에서 성공적인 시범 수업을 하여 3주 동안 호주 어학연수를 갔다 왔던 경험 등은 개인적으로 나의 교직 생활의 원동력이 되었던 일이기도 했다.

중년엔?

30년의 교직 생활, 이는 동료 교사들의 도움이 없이는 불가능한 것이고, 의지의 상징이고, 스스로 생각해도 대견하고 자랑스러운 일이다.

다양한 선후배 선생님들과 여러 가지 촌극을 겼었던 일들이 생각이 난다. 몹쓸 병에 걸려 먼저 저세상으로 가신, 늘 소통의 중심에 서 계시며 항상 나의 본보기가 되었던 선배 교사가 그립다. 품성이 올바르고 모든 학생으로부터 존경받는 선배 교사였다.

또한, 별거 아닌 것에도 신경질적이고 따지곤 했던 성격 까칠한 동료 교사, 성격 괴팍한 후배 교사, 아부 잘하는 교사, 무엇 때문인지는 몰라도 너무 밉상이어서 이제는 보고 싶지 않은 교사, 뒤통수치는 교사, 술만 먹으면 다정했던 성격은 어디 갔는지 갑자기 거칠어지고 목소리가 커지는 선생님, 늘 얼굴에 밝은 미소를 지으며 내 말을 잘 들어 주고 대화해 주셨던 선생님….

술에 못 이겨, 지고 말았던, 그러다 중환자실에서 눈도 못 뜨시고, "선생님, 접니다. 얼른 회복 하셔야죠." 했더니, 말씀은 못 하시고, 두 눈에 눈물만 주르륵 흘리시던, "다시 또 올게요."라고 했더니, 아무 말 없으셨던, 그리고 집에 도착하자마자 운명하셨다는 문자 메시지를 받았던, 심장이 내리 앉듯 먹먹했던 가슴이 아픈 과거 그 경험들, 무슨 힘으로 견뎌 냈을까 하는 말할 수 없는 일들이 머리를 스쳐 지나간다.

학교 학생들 교육 생활지도에서의 변화는 과연 내가 계속 이 일을 해낼 수 있을까? 생각도 했다. 지금 변화의 흐름을 잘 알지 못하고 힘들어했던 시기도 있었다. 우리나라 교육 방식상의 대변혁이 도래했던 과도기의 그 시절에는 처음 적응하기가 꽤 힘들었다. 지금 생각하면 정말 다행히 아닐 수 없다.

그래서 과도기의 교사로서 산전수전 다 겪었던 노련한 교사로 나 자신을 부르고 싶다. 그런 아픔이 없었더라면 시대의 요구에 알맞은 현실의 발전한 교육방식은 탄생하지 않았을 것이다.

초년시절, 참 교사의 개념에 맞는 학생의 자율성과 인권이 살아나길 바라며 시작했다. 자발적인 참여만이 성장을 극대화할 수 있는 방향으로 설정하고 시작했다.

국어, 영어, 수학, 사회, 과학의 성적향상만 요구했던 당시의 교육방식에서 지덕체의 균형 있는 성장을 요구하는 방식으로 바뀌었던 것은 천만다행이 아닐 수 없다. (과연 그 목표가 얼마나 발전되었는지는 알 수 없지만 말이다.)

아무튼 나도 모르게 배워왔지만, 그래서는 안 되겠다고 막연히 생각하며 지냈다. 기존의 교육방식에서 벗어나려고 내적 가능성을 끌어내도록 노력했다. 교육 본연의 목적에 부합되는 올바른 방향으로 방향 전환이 되었다는 것은 정말 다행히 아닐 수 없다. 그러면서 내·외적 갈등도 많았다.

학생들의 평가를 받아보고 실망도 하고, 아이들의 긍정적인 반응에 기뻐했던 날도 있었다. 평가 문구에 부정적인 한마디에 울고 싶었던 적도 있었고, 더 잘하려고 바꿔도 보고 나름 열심히 성실하게 지냈다. 과거의 강압적인 방법이 나도 모르게 불쑥 튀어나오는 일도 있었고, 나름 굳어진 수업방식 속에서도 변화를 꾀하며 그야말로 오로지 학생 중심 교육으로 바꾸려는 시도도 많이 했다.

영어로만 하는 영어 수업방식도 적용해 보고, 발표 수업도 하며, 그룹토론식 수업도 했다. 다양한 방식을 다 써 가면서 수업의 질을 높이려고 애쓰면서 노력을 했던 것이 생각이 난다.

수업 중 싫증이 날 때쯤 되면 나만의 비법을 적용했다. 당시 이슈에 대하여 학생들과 대화도 해 보고, 원하는 대학 진학을 위하여 1, 2학년 때 준비해야 할 점을 안내했다. 무엇을 준비하고 공부해야 할지, 차등을 두어 과목별 성적관리를 해 두어야 할 점을 강조했다. 학교생활은 어느 부분에 더 중점을 어디에 두어야 할지를 수시와 정시로 나누어 이야기하면서 졸린 수업을 극복했다.

어른 공경과 부모님의 은혜에 보답하고자 마련한 행사로 세족식을 거의 매년 주최했었다. 인성교육의 일환이었다.

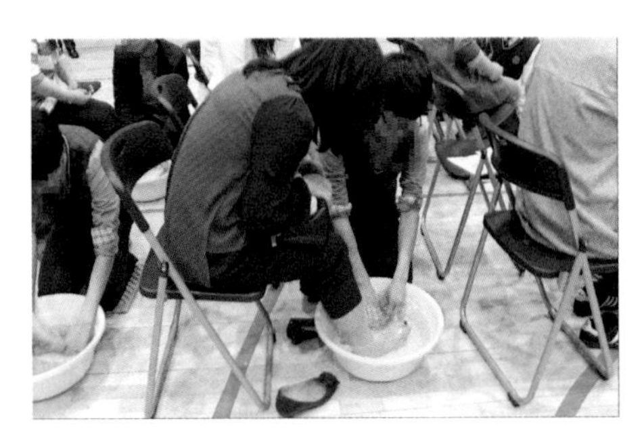

행사 준비를 위하여 여러 번 연습했다. 필요한 수건, 세숫대야, BGM 선곡 및 행사에 필요한 노래 합창 연습, 사회자 원고 준비 및 연습, 내·외빈 초청, 거창한 행사 준비를 철저하게 했다.

행사를 마치면 대회장 철수 및 청소 및 정리 정돈, 참여했던 선생님들 저녁 식사 등등 한해가 시작되면 제일 큰일이고 제일 큰 학교 이벤트 중 하나인 인성교육 행사를 매년 실시 했다. 연초부터 행사 준비를 했으며, 행사만 끝나면 모든 것이 다 끝난 것 같은 기분이었다.

그뿐만이 아니다. 가을이 되면 경로잔치를 개최하여 어른 공경의 마음을 갖게 하도록 준비했다. 학생회 중심으로 합창단을 꾸려 노래도 불러 드리고 학생들 장기도 보여드리며, 즐거운 한때를 함께 해드림으로써 어른들을 즐겁게 해드리려고 노력했다.

주위의 경로당을 찾아가 어르신들을 초청하고, 학부모님들의 도움과 교직원과 학생들에게 홍보하여 집에서 쓰지 않는 물품을 기부받고, 예산을 넉넉히 마련하여 수건도 맞추고 하여 참여하시는 어르신들께 선물로 드리고, 식사도 한 끼 대접해 드리고 하면서 어른 공경의 마음을 키움과 동시에, 학업에도 열중할 수 있도록 함이 목적이었다. 어른들에 대한 존중과 효도하는 인성교육을 했다.

하지만 예기치 않은, 정말 생각지도 않은 일이 생겨나서 몇 년 하다가 그만두었다. 등받이가 없는 식당 의자를 이용하다 보니 등받이에 익숙하던 어르신들은 그만 앉자마자 뒤로 기대다가 뒤로 넘어지는 사건이 발생했다. 가슴 철렁하는 순간이었다. 어쩌면 인성교육이고 뭐고 큰 인사사고로 이어져 큰일을 겪을 수도 있겠다 싶어서 걱정했다.

일단은 다치신 어르신을 찾아가 사죄하고, 병원비라도 드리려 하였지만, 극구 사양하시고, 좋은 일 하려다 그런 것인데 “뭘 그러느냐” 하시며, 다행히 다치지 않았다며 마음 넓으신 어르신 덕분에 천만다행으로 일이 잘 해결되었다. 그 이후로는 행사를 접게 되었다. 세밀한 부분까지도 신경을 썼어야 했는데, 그러지 못한 불찰이었고, 큰 행사를 하면서 팀 구성원의 부족함, 경험 부족 등이 더 큰 화를 겪을 수도 있겠다 싶었다.

행사 그 자체보다는, 학생들과 함께 준비하면서 왜 이렇게까지 해야 하나 등의 이유를 생각하게 되었다. 내 안에 막연히 잠재해 있던 마음이 행동으로 옮겨져, 학생들 참 인성교육도 잘 전달이 되었을 것이다. 아무튼 추억에 남는 행사였다.

학교 주변에 정말로 어려우신 분들이 많아 나눔 봉사를 했다. 학생들과 연탄 배달하고, 학부모님들의 손을 빌려 김치를 만들어 김치통에 담아 독거 어르신 가정집에 찾아뵙고 제공했다.

단칸방 냉골에서 혼자 사시며 말 한마디 붙여 볼 기회조차 없으신 남자 독거 어르신은 눈물을 글썽글썽하시며, "커피 한잔하고 가시라"던 그 모습이 아직도 생생하다. 지금도 눈시울에 그때의 마음이 기억에 아른거린다.

교직에서 봉사활동만은 자랑스럽다. 함께 참여한 학생들은 같이 울먹이며 어르신의 두 손을 꼭 잡고, 그 손을 놓지 못하는 모습을 보면서 마음이 찡하게 울려옴을 느꼈었다. 잊을 수 없었던 일들이 기억 영상으로 남아 뇌 속에 박히는 순간이었다.

한 해 동안 이런저런 봉사활동을 열심히 하여, 사진과 그에 대한 설명 등과 함께 참여 인원, 봉사대상자 등을 일목요연하게 밤늦게까지 학교에 남아 보고서를 작성해서 연말 봉사대회에 참가하여 2회에 걸친 여성가족부장관상, 인천시장상 및 지도자상, 여러 번의 교육감상, 시의회 의장상 등을 받은 것이 새삼 떠오른다.

이런저런 행사로 정신없이 학교생활이 지나가는 잊을 수 없던 순간들이다. 중년의 교사 시절이 슬럼프도 잊을 정도로 한해 한해 흘러 지나갔다.

지금 생각해 보면 바쁜 일에 집중하면서 보람되고 슬기롭게 어려운 시절을 잘 보냈다. 해야 할 일이고, 학생들 인성교육에 이만한 방식도 없는 것 같아 이벤트에 집중하다 보니 좋은 추억과 경험이 지금의 나의 모습으로 발전해 가는 밑거름이 되지 않았을까 하는 생각도 든다.

지금은?

1994년 8월 2학기부터 시작했으니 올해가 교직 생활 만 30년이 되는 해이다.

아침엔 긴장, 저녁엔 긴장한 만큼 또 허탈한 마음을 안고 퇴근했던 나날들의 연속이었다. 무엇인가 잘해야겠다는 마음이 가슴속 깊은 곳에 늘 자리하고 있다. 지금 생각해 보면 오히려 후회되는 일이 더 많은 것 같다.

공부할 기회를 놓치고, 가정형편이 어려워도 다시 공부해야겠다고 마음먹고 복학했던 나이 많은 학생. 11명의 형제 중 맞이로 태어나 생활 형편이 어려워 복지센터에서 생활했던, 많은 어린 동생들로 인해 부모 사랑과 관심을 충분히 받지 못하고 살 수밖에 없었던 불우한 가정환경으로 기본 생활이 되지 않아 결석을 거듭하다가, 다시 장기 결석으로 결국은 학교를 그만두게 되었던 학생….

아빠가 새로운 아이템을 실험하고 성공하여, 특허만 내면 그로 인해 사업이 성공하고 번창하리라며 등록금을 내지 못해 우울해하고 있던 당시 고3이었던 학생. 가정형편이 어려워 수학여행을 가지 못했던 안타까운 학생 등등 가정환경을 이해하고 정상적인 학교생활을 통하여 성장과 발전을 돕는 역할을 제대로 하지 못하고 있었는데도 제대로 도와주지 못했던 일들이 참 안타깝기만 하다.

지금은 다양한 학생들을 일일이 챙겨 주며 교직을 수행하고 있다. 얼마를 더 해야 할지는 모르지만, 지금부터라도 내가 가진 모든 역량을 발휘하여 학생들에게 공평한 관심을 기울이는 방법을 모색해야겠다.

수업 계획을 세울 때도 미리 세밀한 준비를 충분히 하지 않아 이로 인해 수업 질이 떨어질까 걱정도 했다.

학생들에게 더 나은 교육을 제대로 제공하지 못한 것 같아 아쉬움으로 남아있다. 모둠수업을 시도하면서 모둠에 열심히 참여하지 않는 학생들에 대한 대안모색이라든지, 주제에 대하여 열심히 토론하고, 과제 수행을 마친 후 모둠별 결과물을 모아 결론을 유도해야 할 것을, 미숙함으로 인해 수업 분위기가 흐트러지는 일도 있었다.

강의식 수업에서도 적절히 학생들 흥미를 유도하면서 발단, 전개, 결론의 체계 있는 수업을 준비는 했지만 시간 관리를 제대로 하지 못하여 엉망이 되어버린 수업 시간 등등도 많은 아쉬움으로 남아있다. 특히 초년시절엔 수업 계획은 2~3시간씩 짜고, 수업 전개는 시간 부족으로 제대로 하지 못한 적도 많았다. 학생들 하나하나의 다양한 학습 스타일 및 환경을 고려치 않고 일방적인 수업방식을 적용한 점들은 개선해야 할 점들이 아직도 많음을 깨닫게 되었다. 학생 개개인의 특성과 필요에 맞추어 다양한 수업방식을 적용하는 것이 중요하다는 것을 다시 한번 깨닫게 되는 대목이다.

처음 교사로 일하게 된 그 날의 설렘과 긴장감은 아직도 생생하게 기억된다. 학생들과 처음 만났을 때의 떨림과 호기심, 그리고 함께 성장해 나가는 기쁨을 느낄 수 있었지만, 막상 수업을 시작하면서, 학생들과의 소통과 관계의 중요성을 깨닫게 되기까지는 많은 시간이 필요했다.

수업 내용을 잘 전달하고 이해시키는 것도 중요하지만, 학생들과의 소통을 통해 서로를 이해하고 존중하는 것 또한 중요하다는 것을 깨닫게 되었고, 그러면서도 또한 자기 계발과 교육 방법론에 관한 관심을 가지는 것 역시 참으로 중요한 요소가 아닐 수 없었다.

세상은 끊임없이 변화하고 발전하고 있다.

새로운 교육 방법과 도구들을 습득하고 적용하는 노력 또한 수업을 더욱 효과적으로 만들어 주는 한 요인이라 생각된다. 학생들의 학습 특성과 요구에 맞춰 수업을 진행해야 하는 것은 어찌 보면 당연하고 그러면서 그들의 성장을 지켜볼 수 있게 되는 보람은 교사로서 보람이 아닐 수 없을 것이다. 학생들은 서로 다른 성장 배경과 능력을 갖추고 있고, 그들의 차이를 이해하고 받아들이며, 그들이 각자의 방식으로 성장할 수 있는 환경을 조성하는 것 역시 교사의 역할이 아닐까 생각한다.

지금까지의 경험에서 가장 큰 보람 중의 하나는 학생들의 성공과 즐거움을 함께 나눌 수 있었던 순간들이 아니었나 싶다.

수업 중 문제 풀이 방식상에 어려움을 겪고 있는 학생이 스스로 문제를 해결하고 성취감을 느낄 때, 그 순간의 기쁨은 이루 말할 수 없이 큰 보람이었다. 또한, 학생들과 함께하는 일상의 소중한 순간들이 나에게 큰 힘이 되었다.

그러면서도 항상 나의 열정과 사랑을 학생들에게 전달하려고 노력했다. 나의 그 열정과 사랑으로 영어를 가르치면서 그들에게 힘이 되고 격려가 되기를 바라 왔다. 그 속에서 나 또한 끊임없이 열정을 가지고 성장할 수 있었던 것 같다. 오늘도 행복한 하루가 선물이다.

네, 여긴 훈훈해서 좋아요

안경순

나는 교사가 되기 전 10년 정도 사회생활을 했다. 두 회사를 거쳤는데, 둘 다 중소기업이었다.

그래서 교무실에 들어왔을 때, 일반적인 회사 분위기와 매우 다르다는 것을 느꼈다. 물론 매년 교무실의 구성원이 바뀌고 이에 따라 분위기도 바뀌지만, 공통으로 느꼈던 부분은 같다. 그중에서 좋았던 점에 관해 얘기하고자 한다.

가장 먼저 꼽고 싶은 특징은 바로 '신뢰' 다.

학교에서 모든 교사는 당연히 제 몫을 하리라는 기본적인 믿음이 깔렸다. 일반적인 회사에서 신입직원을 믿지 않는 것과는 좀 다르다. 대개 회사에서는 신입직원에게 큰 기대가 없다. 신입직원은 당연히 미숙하고 실수할 수 있다고 여긴다. 마치 뒤에 '초보운전' 종이를 붙여둔 자동차를 보는 것과 비슷하다. 주의를 기울여 살펴야 하는 존재랄까.

그러나 교사는 신규교사든 계약직 교사든 업무에 미숙한 사람으로 보지 않는다. 처음부터 같은 교사, 같은 조직의 일원이라 여기는 분위기가 형성되어 있다.

아마 다 마찬가지로 고학력자에 자격증을 갖춘 사람이기 때문일까. 신입사원을 가르쳐야 하고 돌봐야 하는 대상으로 보는 것과 꽤 다르다. 특히 수업에 관해서는 이미 검증을 끝냈기에 그 누구도 능력을 의심하지 않는다. 거기에 행정 업무도 마찬가지로 능히 처리할 거로 생각한다. 즉, 상호 간의 신뢰에서 오는 느슨한 분위기가 있다. 날을 세우고 지켜보거나 닦달하지 않는다. 따라서 쓸모없는 긴장감이 없다. 이는 자연스럽게 자기 일에 집중할 수 있는 환경을 만든다.

회사에 다닐 땐 내 일에 오롯이 신경 쓰기 힘들 때가 있다. 주위 시선을 신경 써야 하기 때문이다. 회사 생활 2년 차였던가, 한 번은 파워포인트로 제안서를 쓰고 있었다. 기왕이면 보기 편하고 예쁘게 만들고 싶어서 파워포인트 디자인과 구성을 찾아보던 중이었다. 지나가던 다른 팀 상사가 내 모니터를 보더니 뭐하냐고 물었더랬다. 개인적으로 좋은 평가를 받기 위해 만들던 제안서였기에 내용에 관해서는 말을 못 하고, 단순히 축약해서 PPT 디자인을 보고 있었다고 답했다.

다른 팀 상사는 확 찡그리더니 쓸데없는 거 말고 일이나 하라는 식으로 몇 마디 하고는 휙 지나갔다.

회사에서는 지금 당장, 자기 업무 자체, 혹은 언뜻 보아도 직접적인 관련이 있는 게 아니라면 모두 '쓸데없는 일'이 된다. 그래서 어떤 일을 하기 전에 남들이 내가 하는 일을 어떻게 볼까 한 번쯤 생각하고 움직이게 된다.

이런 게 쓸모없는 긴장이고 에너지 소모라는 것을 교무실에서 일하게 되었을 때 알게 되었다. 옆에서 종이를 접고 게임을 해도 그것이 수업에 어떻게 쓰일지 아무도 모른다. 그러니 딱히 신경 쓰지 않는다. 설사 수업과 관련이 없으면 또 어떠한가. 모든 경험이 수업에 우러날 수 있는데.

두 번째, 교사는 역시 가르치는 사람이라는 것이다.

교사라면 그 어떤 학생이 찾아와 질문해도 최선을 다해 답하기 마련이다. 이는 같은 교사 사이에서도 똑같다.

일반 회사에서는 자신의 기술이나 비법을 가르쳐주기 아까워하는 경우가 종종 있다. 그것이 자신의 밥줄과 직접적인 연관이 있다면 이해할 수 있지만, 그렇지 않을 때도 잦다. 단순히 그 사람이 마음에 안 들어서, 귀찮아서, 설명하기 힘들어서 등, 다양한 이유로 알려주기를 꺼린다. 가르쳐주더라도 기분 나쁘게 가르쳐주던가, 설명을 제대로 못 해서 알아듣기 힘들 때도 부지기수다. 아예 나쁜 마음을 먹고 거짓된 방법이나 정보를 알려주기도 한다.

그러나 교사는 '가르치는 것'이 직업이기 때문인지 기본적으로 모든 질문에 성실히 답해준다. 문제가 사소하든 심각하든 상관없다. 다년간 쌓은 자신만의 비법은 물론이다. 질문이 너무 소소해서 설명서를 찾아보라거나 인터넷 검색을 해 보라는 등의 성의 없는 답변을 하지 않는다. 그래서 교무실 분위기는 시종일관 훈훈하다.

회사에서는 사소한 질문과 답변에 감정이 상할 때가 많다. 답해주는 것은 물론이거니와 묻는 쪽에서도 부담스럽기 때문이다. 이런 걸 물어서 상대가 귀찮아하거나 싫어하진 않을까. 나를 나쁘게 평가하는 건 아닐까. 안 알려 주면 어쩌지, 등 감정적인 소모가 많다.

교무실에서는 그런 일이 없다. 누구나 모를 수 있다. 다양한 학생을 접하다 보니 오히려 한 번에 알아듣는 학생이 드물다는 것을 알고 있다. 반복해서 알려 주는 것도 어렵지 않다. 그러다 보니 편히 묻고 편히 답을 들을 수 있다.

개인적으로 문제가 있어서 감정이 별로 좋지 않았던 교사가 있었는데, 지나가다 작은 질문을 한 적이 있었다. 그냥 맡은 과목과 연관된 것이라 큰 기대 없이 한 말이었는데, 걸음을 멈추고 설명해 주려 애쓰는 모습에 조금 놀랐다. 그분은 아마 별생각 없이 대답했겠지만, 나는 잔잔한 감동에 휩싸였다.

교사는 가르치는 사람이다. 그것도 굉장히 '잘' 가르치는 사람이다. 그것만으로도 공기가 따뜻해질 수 있다.

세 번째, 교사는 또한 공부하는 사람이다.

교사는 가르치는 것만큼이나 배우는 것도 잘한다. 누군가에게 나누고 싶어서가 아니더라도 자신이 즐기기 위해서도 배우는 일을 열심히 한다. 심지어 '배울 일'을 만들어서까지 배운다. 또한 주위에서 이런 '배움'을 응원한다. 다양한 분야와 제공처에서 각종 연수가 끝없이 열리고, 이를 들으라고 권하는 것만 해도 그렇다.

하지만 회사에 따라서는 자기 계발을 곱게 보지 않는 때도 있다. 쉬는 시간이나 점심시간 등을 활용해서 토익책이라도 펼치면 이직 준비한다는 소문이 퍼질 수 있다.

차라리 같은 시간에 웹툰을 보는 게 뒷말이 나오지 않는다. 뜨개질 하나를 시작해도 칭찬받을 수 있는 교무실과 사뭇 다르다.

교무실은 조용한 것 같으면서도 머물지 않는다. 언제든 새로운 것을 권하고 응원하는 분위기이기에 각자 끊임없이 무언가 배우고자 하고 이미 배우고 있다. 전공과 연관이 있어도 좋고, 없어도 좋다. 나는 학교에 다니면서 인포그래픽이 무엇인지 알았고 코딩과 디코딩에 관한 관심이 커졌다.

심폐소생술은 물론이고 CHAT GPT와 엑셀을 연동해서 데이터를 자동으로 구하는 방법을 배웠다. 니어팟을 비롯해 여러 유용한 애플리케이션의 사용법을 익혔다. 가죽 지갑을 만들거나 미술치료에 참가하는 등 다양한 체험을 했다. 또한 보드게임 지도사와 스포츠 마사지 자격증을 땄다.

가장 최근엔 책 만들기 연수에 참여하여 이렇게 글을 쓰고 있다. 전공과 연관 없는 것만 골랐는데도 꽤 많다. 나열하다 보니 많은데 고작 6여 년 동안 배운 것들이다. 굳이 내 얘기가 아니더라도 주위에 학원이나 대학원에 다니는 선생님들도 많다. 이렇게 배움을 권하고 즐기는 분위기가 좋다.

마지막으로, 존중하는 분위기가 있다.

일반 회사에서 볼 수 있는 갑질이나 부당한 요구를 보기 힘들다. 사소하게는 칼퇴근부터 늦은 시간에 회식 참여까지 눈치 볼 필요가 없다. 가시적인 생산이 눈에 보이는 직업이 아니라 그런 걸까. 무리한 목표를 달성하라는 요구도 없다. 갑자기 실적이 떨어졌을 때 자비로라도 그것을 채우라는 요구에 당황했던 기억을 떠올리면 아직도 그때의 막막함이 남아있다.

상사의 폭언에 눈물을 찔끔거리기도 했다. 업무상 미숙한 내용에 대해 인신공격에 가까운 말을 들었을 땐 며칠 동안 가슴이 벌렁거렸다. 직장은 다양한 사람이 모인 곳이고 상하관계가 뚜렷한 만큼 내가 어찌할 수 없는 상황이 자주 일어난다. 대부분 상호존중이 없기 때문이다.

그 외에도 업무 외의 일을 했던 것도 떠오른다. 내 원래 업무와 상관없이 회사의 홈페이지를 만들거나 홍보만화를 그리기도 했는데, 당시에 왜 내가 이걸 하느라 밤을 새워야 하나 고민했더랬다.

나중에 회사 쪽에 대가로 보너스를 달라고 항의해서 십만 원을 받긴 했지만, 내내 찜찜했다. 회사에서는 어차피 회사 일을 시킨 건데 왜 추가로 돈을 줘야 하느냐는 입장이었고, 나는 같은 업무를 맡은 다른 직원이 하지 않는 별도의 일을, 나 개인 시간을 더 들여서 했으니 돈을 더 받고 싶다는 견해였다. 물론 그때 작업했던 것은 모두 회사 소유이므로 내 저작권도 주장할 수 없다. 여러모로 내겐 안 좋은 경험이었다.

결론, 내가 본 교무실은 공통으로 신뢰를 바탕으로 서로 존중하는, 훈훈한 분위기였다. 대기업이 아닌 중소기업에서 일했던 경험밖에 없기에, 대기업 회사 분위기에 관해서는 잘 모른다. 비교로 삼은 회사가 과거에 다녔던 두 회사와 주위에서 들은 이야기밖에 없어서 다소 부족하게 느껴질지도 모르겠다. 회사에 다녔던 경험이 꽤 오래전이니 현재의 회사 분위기와 다를 수도 있다.

최근 교사에 관한 안 좋은 일로 인해 주변에서 걱정하거나 교직에 회의를 느끼는 사람이 있다. 교사라는 사명감이나 열정은 이런 상황에서 많이 깎여나간다. 그러나 교사를 하나의 직업으로써 본다면, 일하는 환경의 분위기가 좋다는 게 동기부여가 된다. 그러니 이 글은 결국 나를 위한 글이다.

직장 생활을 하다 보면, 일이 힘들어서 관두기보다는 사람이 힘들어서 관둔다는 말이 있다. 결국 중요한 것은 일보다는 사람이다. 그렇게 생각하면 교무실은 일하기에 참 좋은 곳이다. 서로 존중하고 격려하는 훈훈하고 자유로운 곳이니 말이다.

물론 교사가 일하는 범위는 교무실을 포함하여 학교 밖을 아우르지만, 작은 곳부터 좋은 점을 살펴보다 보면 그래도 나는 행복한 사람이라는 생각이 든다. 다른 사람도 그랬으면 좋겠다.

교사의 삶

교사의 삶이란?
좁게 보면 교실이나,
넓게 보면 온 세상이라.

깊게 보면 바다 같은 사랑이요,
높게 보면 하늘과 같은 푸르름이다.

작게 보면 분필이요,
크게 보면 태산이라.

교사의 삶은
짧은 순간 비극이나,
길게 보면 희극이라.

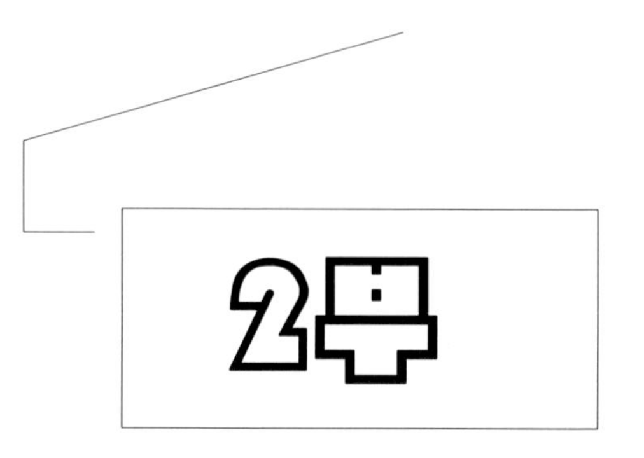
2부

교사에게 알려 주는 책 쓰기 정석

위대한
글쓰기는
존재하지 않는다.

오직 위대한
고쳐 쓰기만
존재할 뿐이다.

- E.B. 화이트 -

2부. 교사에게 알려 주는 글쓰기 정석

교사는 말과 글로 가르치는 스승이다. 교사와 학생의 관계는 교육을 크게 좌우한다. 교사의 긍정적인 칭찬과 격려, 인정이 학생의 능력을 키운다. 학생들은 교사의 일거수일투족을 지켜보고 있다. 표정과 태도를 보고 따라 배운다. 그래서 교사는 모범을 보이는 행동의 실천이 매우 중요하다.

'메라비언 법칙'은, UCLA의 교수였던 앨버트 메라비언(Albert Mehrabian)이 발표한 이론이다.

"상대와 대화를 하면서, 상대의 인상을 정하는 데 영향을 미치는 부분에서 대화의 내용이 7%고, 상대방의 목소리는 38%며, 상대방의 표정과 태도가 55%로, 목소리에서 느끼는 청각과 모습에서 느끼는 시각을 빼면 말의 내용에서 느끼는 것은 겨우 7%에 불과하다는 법칙이다."[2] '첫인상을 결정하는 시간이 3초'라는 말이 있다. 사람의 인상을 결정하는데 가장 즉각적이고 큰 영향을 미치는 시각적 효과가 작용하고 판단하기 때문이다.

---

2) 나무위키 메라비언 법칙
https://namu.wiki/w/메라비언 법칙

교사는 글을 쓰는 일이 일상이다.

학생과 관련된 자료를 조사해서 종이와 교무 수첩에도 무엇인가 쓴다. 쓰고 설명하는 일을 매일 한다. 교사는 수업 시간 가르치려고 말하며 칠판에 글을 쓴다.

교사가 글로 전달하려는 메시지는 간단하다. 학생으로 해야 할 규칙과 질서, 예절과 일상에 관한 인성교육이다. 또한 교과서 핵심을 요약하며 중요한 내용을 설명하며 판서한다. 칠판에 글을 쓰면서 말한다. 글을 가르치는 게 아니라 핵심을 설명한다. 문제지나 학습지를 만들어 가르친다. 칠판에 글을 쓰고 가르치는 걸 반복하는 삶이다.

요즘엔 대부분 컴퓨터에 핵심을 요약하고 내용을 기록하며 PPT로 제작한다. 수업 주제와 근거, 사례나 예시를 들며 가르친다.

시험이 다가오면 시험문제를 만든다. 문제를 읽고 풀어보고 반복하며 수정한다. 시험 후 수업 시간 관찰 평가 결과를 학기별로 생활기록부에 기록한다. 요즘 제출하라는 보고공문이 증가하고 있다. 학교의 행정업무는 늘고, 업무 처리하느라 더욱 힘들다. 보고서 쓰기, 학생기록부 쓰기, 교과 교재 연구 글쓰기 일상이다. 학교는 가르치며 글을 쓰는 게 교사의 업무이다.

학생을 가르치는 일을 하며, 글을 쓰고 내 책 만드는 비법을 알려준다. 내 책 만들어 저자 되는 '한 권의 책 쓰기 정석'이다.

1. 글쓰기의 모든 것

글쓰기는 책을 쓰는 일이요, 한 권의 저서를 만드는 사명이다.

누구나 학교생활을 추억하면 생각이 난다. 추억은 아름답다지만 기억나지 않는 것도 많다. 좋은 기억과 나쁜 기억이 모두 사라지지 않고, 가끔 생각난다. 앨범이나 휴대전화에 과거 사진이 남아 있다. 사라지기 전에 좋은 기억을 책으로 기록하면 영원히 남는다.

내 책을 만들어 보고 싶은 교사는 많다. 출판하여 저자 되고 싶어, 알아보거나 물어볼 곳도 주변에 딱히 없다. 교사에게 딱 맞는 출판을 해주는 곳도 없다. 하지만 그 꿈을 이루기 위해 행동하는 사람은 그리 많지 않다. 책은 작가나 유명 인사들이나 쓰는 것으로 생각하기 때문이다.

내 책 만들기를 도전하는 용기가 필요하다.

평범한 자신이 책을 만든다고 해도 읽어 볼 사람은 없을 것이라 걱정부터 한다. 그들이 간과하는 점이 하나 있다. 유명 작가들에게도 무명 시절은 존재했다는 것이다. 바쁜 일상이지만, 내 책을 출판하는 일이 꿈이 아니라 현실이 되는 길을 제시한다. 그동안의 경험을 알리고자 한다. 이 글을 읽는 여러분은 행운과 행복이 점점 다가오고 있음을 실감할 것이다.

더 나은 가르침을 위해 지금 무엇을 할까?

글을 쓰고 내 책 만드는 과정을 겪어온 교사인 작가이다.

내 책 만드는 비법을 자세하게 알려드리고자 한다. 교사는 배워 남 주는 삶이다. 교재 연구에 바쁘고, 업무 처리에 너무 힘들다. 상담하랴 회의하랴 학교는 바쁜 일상이다. 시간이 없다고 핑계 댄다. 정부마다 행정업무 경감 대책 내놨지만, 지금은 더 늘어난 상황이다.

공부하는 건 즐거운데 가르치는 건 힘든 게 교사다. 배우는 학생이 배우려는 도전정신이 부족하다. 학생과 소통은 나날이 힘들어지고 있다. 지금 내 마음은 학생들에게 더 잘해주고 싶은 마음이다. 더 열심히 배우고, 연구하고, 가르치는 삶이다. 미래 원하는 바를 성취하길 바랄 뿐이다. 나중에 커서 잘 되겠지 "피그말리온 효과"를 기대한다.

교사 글쓰기는 가르침에 대한 성찰이다.

글을 쓰면 나와 소통하는 것이요, 성숙해지고 더 성장하며 성찰하게 된다. 글쓰기는 보람을 느끼게 되며, 인생을 풍요롭게 한다.

내 책 만드는 책 쓰기의 비법을 다양하게 표현하여 제공한다. 초보자가 글을 쓰는 데 많은 도움이 되리라 생각한다. 글을 쓰고 책 만든 방법을 익혀 저자 되는 체험하기 기대한다.

2. 책 만드는 글쓰기 정석이다

글쓰기란 무엇인가?

이 세상 글쓰기 분야는 매우 넓다.

출판사, 신문사, 관공서, 학교, 방송국, 회사 등 우리 사회의 많은 부분을 차지한다. 특히 방송이나 영화, 드라마 작가는 대본을 사실적이며 창의적으로 쓴다.

글쓰기는 '재주가 있는 사람들이 하는 것이다'라고 생각하고, 넘사벽이라며 포기할 수 있다. 이 말은 틀린 말은 아니지만 옳은 말도 아니다. 요즘엔 누구나 작가 될 수 있다. 글의 형식은 중요하지 않다. 누구나 책을 만들 수 있고, 저자가 될 수 있는 시대이다. 자기 생각을 글로 정리하여 책으로 만들면 된다.

글이란 무엇인가?

누가 글을 쓰는가?

글은 어떻게 쓰는가?

글쓰기 누가 좋아할까?

글쓰기의 가치는 무엇일까?

누구나 세상을 살면서 책을 읽게 된다.

글이 잘 쓰여서 모인 것이 책이고 신문이다.

인터넷과 신문은 세상의 정보와 소식을 알려준다. 책을 읽으면 글의 의미와 내용을 알게 되며, 지식을 얻고 감동하는 때도 많다.

요즈음엔 사람들이 독서를 좋아하지 않고, 책을 읽는 사람도 많지 않다. 독서는 흥미나 취미가 중요하다. 책 읽고 글쓰기 하면 지혜로운 삶을 살아가는 방법의 하나이다.

책이란 무엇인가?
책(冊)은 "어떤 내용의 글·그림·사진 등이 인쇄된 여러 페이지의 종이를 일정한 순서에 따라 매어 표지를 붙인 물건"이라고 되어 있다. 유네스코에 따르면, 책이란 "겉표지를 제외하고 최소 49페이지 이상으로 구성된 비정기 간행물"을 일컫는다.

책에 관한 명언이다.

빌 게이츠는 "오늘의 나를 있게 한 것은 우리 마을의 도서관이었다. 하버드 졸업자보다도 소중한 것이 책을 읽는 습관이다."라고 말했다. 그리고 "책을 사느라 들인 돈은 결코 손해가 아니다. 오히려 훗날에 만 배의 이익을 얻게 될 것이다."라고 왕안석은 말했다. 책의 가치와 독서의 중요성을 강조하는 말이다. 독서는 즐거움과 감동을 주며, 지식과 지혜를 얻는다.

책 속에 길이 있다.

책은 간접 경험을 터득하는 지름길이다. 책 한 권에서 한 문장의 느낌도 엄청난 가치를 갖는다. 한 줄의 글은 독자에게 큰 힘을 갖게 해준다. 책을 읽으면 세상을 더 잘 이해하게 되고, 세상 보는 눈이 다르게 된다.

소크라테스는 "남의 책을 읽는 것에 시간을 보내라. 남이 고생한 것에 의해서 자신을 쉽게 개선할 수 있다."라고 했다. 책을 읽으면 다양한 정보와 지식을 간접으로 경험한다. 귀중한 보물을 찾을 수 있는 보물단지다. 책 읽고 글쓰기를 좋아하는 사람도 있지만, 대부분 글쓰기를 싫어하며 글을 쓰지 않는다.

글쓰기는 어려서 일기 쓰기로 시작한다.

짧은 글을 쓰면서 받아쓰기도 한다. 커가면서 편지 쓰기, 학교에서 받아쓰기, 보고서 쓰기, 논술, 성장하면서 업무 보고서를 쓴다. 글쓰기는 누구나 다 힘들고 쓰기 귀찮은 게 사실이다. 누군가는 글쓰기가 고통이고 괴로움이 될 수도 있다.

사람들은 세상을 살면서 글쓰기와 무관하다고 생각할 수 있다. 그러나 자신이 살아온 날들을 사진과 글로 잘 정리하면 자서전이 된다. 글은 누구나 쓸 수 있다. 글쓰기를 하면 얻는 게 많다. 자부심도 생기고 자신감을 얻고 인정받게 된다. 글을 쓰고 내 책을 한 번 만들어 보길 권한다.

작가는 생각을 글로 표현하는 삶이다. 독서하고, 사색하고, 글 쓰는 게 업이다. 작가의 삶은 독창적인 글을 쓰는 일상이다. 주제를 잡고 남에게 도움이 될 수 있는 내용을 쓰면 된다. 작가는 창의력을 발휘하여 창작하는 삶이다. 작가는 글을 쓰는 게 생명이라고 한다. 작가는 글에 대해 생각하고, 글에 대해 고민하고, 글로 표현하는 일이 거의 전부다.

글쓰기의 경험을 간단하게 안내하고자 한다. 전문작가의 글에 비하면 전문성은 떨어지지만 여러 권의 책을 출판한 경험을 했다. 글쓰기 초보자에게 한 권의 내 책을 만들어 작가 되는 길을 알려 준다.

I can do it!

You can do it!

We can do it!

Just do it!

내 책 만들기를 원하는 초보 작가에겐 큰 도움이 될 것으로 기대한다. 삶에서 글쓰기의 지혜를 얻기를 희망한다.

글쓰기의 요령과 내 책을 만드는 무료 출판과정에 대한 경험을 자세하게 제공한다. 전문작가는 크게 도움이 없을 수 있겠다. 글을 쓰다 보면 알게 된다. 글쓰기는 힘들고, 지루하고, 하기 싫을 때가 많다. 잘 안 써질 때도 있다. 그래도 지속해서 꾸준하게 작성하는 게 글쓰기다.

글쓰기 결과는 한 권의 내 책을 만드는 것이다.

글쓰기가 쉽지는 않지만, 쓰다 보면 알게 된다. 글의 양이 많아지면 뿌듯하고 묘한 느낌이 든다. 마음이 풍요로워지고 자신감이 넘치게 된다. 일상에서 쓰고 있는 글에 대한 여러 가지 생각이 자꾸 떠오른다.

글쓰기의 가치는 매우 많다. 우선 자기만족이요, 성취감이다. 글을 쓸 땐 힘들고 괴로웠는데 책을 보는 순간 뿌듯함과 기쁨이 넘친다. 주변에 자랑하고 싶고 내 책을 다시 읽고 보람을 느끼며 만족한다. 간혹 내 책의 오타나 부끄러운 글도 읽으며 삭제나 변경하고 싶은 마음도 크다. 한 권의 내 책은 자랑스러움과 자부심이 커지며 유능함을 인정받는 길이다.

글쓰기는 내 마음과 독자의 마음을 얻는 일이다. 책을 읽고, 생각을 담아 사람에게 가치 있는 정보를 주는 일이다. 글쓰기 시작하면 초보 작가 되는 지름길이다.

'나는 할 수 있다' 외치며 지금 시작하는 거다.

Do it now

글쓰기 습관이 중요하다.

글쓰기는 쉽지 않다. 그러나 누구나 다 글을 쓸 수 있다.

글쓰기가 거창하고 어려운 일은 절대 아니다. 다만 귀찮아질 뿐이다. 마음만 먹으면 아무나 쓰는 것이다. 글을 쓰겠다고 마음을 먹어도 무엇을 써야 할지 막막하다. 글을 쓸 때는 힘들고, 고통이 뒤따르기 때문이다. 글쓰기 고통은 글을 써야 한다는 사실이다. 다만 꾸준하게 쓰고 나중에 책을 만드는 저자가 되는 사람이 적다. '글재주가 없다'라고 생각하고 중간에 포기하는 경우가 대부분이다.

글쓰기는 꾸준한 습관이 요구된다. 제일 중요한 사실이다. 글쓰기는 매일 밥 먹듯이 하면 된다. 글의 양이 중요한 게 아니라 몇 글자라도 잠깐 한 줄이라도 글을 쓰는 습관이 중요하다.

매일 양치하듯이 신경 쓰면 된다. 화장실에서, 엘리베이터 안에서, 지하철 이동하는 시간, 휴식 시간, 점심시간, 자투리 시간에 쓰면 된다. 일상에서 일어나는 일을 내 마음대로 쓰면 된다. 이벤트성 일상이나 상황의 느낌을 적는 일이다. 수필이나 자서전의 기초가 된다.

글쓰기는 책이 완성될 때까지 꾸준하게 쓰는 습관이 매우 중요하다. 글쓰기를 꾸준하게 하면 얻는 게 많다. 글이 많이 작성되면 보람과 만족을 얻는다.

무엇을 쓰고 싶은지 생각해 보자. 왜 쓰느냐도 중요하다. 글쓰기 목적은 다양하다. 특히 내 이름으로 된 책이 목적일 수 있다. 나중에 책으로 탄생하면 기쁨과 즐거움을 준다. 내 이름으로 출간하는 보람과 만족하는 새로운 경험을 한다.

글쓰기엔 공짜가 없다. '세상에 공짜는 없다.'라고 하지 않던가. 글쓰기에는 '쓴 대로 거두리라'를 실감할 것이다. 글은 쓴 만큼 글감이 생기는 것이다. 글 쓴 이후 책을 만들어진 상황을 상상해보자. 책은 더 큰 이상과 가치를 발휘하게 된다.

'티끌 모아 태산'이라는 속담이 있다. 누군가는 '티끌은 모아도 티끌이다'라고 말할지도 모른다. 글 쓴 경험을 생각하니 티끌 모아 태산을 실감한다. 많이 쓰면 페이지 수가 늘어나는 것이다. 간단하게 핵심만 작성해도 된다.

한 글자의 위력을 실감한다. 한 글자가 모여 문장이 되고 문장은 한 페이지가 되고 한 페이지가 모이니 책이 된다. 책은 한 글자부터 시작이다.

윌리엄 제임스의 습관에 대한 명언이다.

생각이 바뀌면 행동이 바뀌고,
행동이 바뀌면 습관이 바뀌고,
습관이 바뀌면 성격이 바뀌고,
성격이 바뀌면 운명이 바뀐다.

글쓰기에 타고난 재능을 가진 사람은 없다. 매일 읽고 쓰기를 반복하다 보면 분명히 늘게 되어 있다. 재능은 반복적인 습관으로 만들어지는 것이다. 작가처럼 습관이 안 되니까 현재 글쓰기가 당연히 어려울 수밖에 없다.

글쓰기는 생각하고 실천하면 이루어진다. 쓰고 싶은 글에 대해 생각하고, 마음가짐을 단단하게 먹고 실천하는 게 글쓰기다. 글쓰기는 누구나 실천하면 언제든 성취할 수 있다. 글쓰기 하면 내가 알고 있는 것과 모르는 것에 대해 확실하게 구분할 수 있다. 신문을 읽고 책을 읽고 지식을 습득하게 된다.

돈을 모으면 재산이 쌓이고, 메모한 한 줄의 글이 모이고 쌓이면, 책 쓰는 재료가 된다. 글이 책이 되고, 책을 만들면 작가가 된다. 글을 모아서 한 권의 책을 만들기를 시작한다. 글쓰기의 정석은 글을 쓰는 행동을 실천하는 거다.

3. 글쓰기 정석 ① 한 줄 쓰기

한 줄부터 시작하라!

한 줄 쓰기가 글쓰기 시작이다. 글은 '티끌 모아 태산이다.'를 실감하는 것이다. 주저하고 망설이지 말고 한 글자라도 적는다.

SNS부터 하듯이 짧은 글을 쓰면 된다. 짧은 한두 줄의 글을 쓰는 일이 시작이다. 시작이 반이다. 글쓰기에 좋은 시기는 지금이다.

조셉 퓰리처는 "무엇을 쓰든 짧게 써라. 그러면 읽힐 것이다. 명료하게 써라. 그러면 이해될 것이다."라고 했다. 글은 짧게 쓰고, 이해할 수 있는 쉬운 단어로 쓰라는 의미다. 글쓰기에 정답은 없지만, 글쓰기에 정석은 있어야 한다. 일상의 주제를 잡고 주변 상황, 이벤트, 생각대로 쓴다. 또는 수업 시간 중 학생들의 문제점을 한 줄 쓰기 질문을 쓴다.

꼭 알아야 할 글쓰기 비법은 간단하다.

글은 한 단어로 시작한다. 단어가 모여 문장이 된다. 한 줄 쓰기가 글쓰기 정석이다. 한 글자가 한 단어 되고, 한 단어가 한 문장이 되고, 한 단어가 모여 한 줄 되고, 한 줄이 한 단락이 된다. 한 페이지의 글은 여러 단락의 글이 모인 것이다. 한 단락은 한 페이지가 되고, 한 페이지는 수십 장의 글이 된다. 수십 장의 글이 쌓이면 한 권의 책이 된다. 글은 길게 써야 할 필요는 없다.

"늦었다고 생각할 때가 가장 빠른 때이다."라는 글을 떠올린다. 늦었다고 생각하는 지금이 가장 좋은 시기란 이야기다. 핑계 대지 말고 한 줄 쓰기 지금부터 실천해보자.

"왜 공부를 하지 않지?", "왜 떠들지", "왜 잠을 잘까?"….

글쓰기가 마음같이 되지 않는 이유는 두려움이다. 자신의 잠재능력보다 주위를 인식하기 때문이다. 문법이 틀리거나 띄어쓰기가 되지 않으면 창피하지 않을까 걱정만 한다.

내 주제에 무슨 책을 만들어! 하면서 안 하거나 포기하는 거다.

도전하면 누구나 성취할 수 있는데, 안 하는 게 문제다. 글쓰기를 포기하거나 두려워하는 사람이 많다. 글을 쓰는 사람은 특별한 재주를 가지고 태어난 게 아니다. 보통 사람도 훈련을 쌓으면 얼마든지 글을 잘 쓸 수 있다. 글쓰기는 '천 리 길도 한 걸음부터'임을 다시 강조한다.

초보자는 차근차근한 글쓰기 습관이 제일이다. 한 줄 쓰기를 매일 하는 일이다. 매일 밥 먹는 것 어렵지 않다. 밥을 하기가 어렵다. 마찬가지 매일 한 줄 쓰기는 쉽다. 습관이 되는 게 어렵다.

글쓰기 정석은 꾸준한 반복이요 습관이다. 글쓰기는 한 줄 쓰기에서 시작한다. 한 줄 쓰기가 습관 되면 작가의 길에 들어선 것이다.

4. 글쓰기 정석 ② 글쓰기 5가지 요령

글쓰기 두렵고 어려운 이유는 안 써봐서 그렇다.

무엇을 쓸지 두렵고 막막한 게 당연하다. 하면 된다. 쓰면 된다. 누구나 마음먹기에 달린 게 글쓰기다.

처음에 누구나 글을 쓰기가 두렵다. 아무 글이나 쓴다. 메모하듯이 쓴다. 일기 쓰듯이 쓴다. 글쓰기 기술 특별한 게 없다. 일단 쓰는 것이다. 시도 좋고 한 문장도 좋다. 형식은 자유이며 단지 글을 쓰는 행동을 실천하는 게 시작이다. 글은 쓰면 쓸수록 괴로움이 생기나, 글이 점점 많아지면 즐거움이 된다.

어떤 주제에 대해 글을 쓰면 내 생각이 확장되고 즐거움이 된다. 글스기 힘들면 인터넷을 검색하거나 다른 책을 읽는다. 읽고 쓰는 일을 반복하면 습관이 된다. 한 권의 내 책이 만들 때까지는 힘들지만, 완성되면 전화해서 자랑하고 싶은 게 성취감이요 자신감이며 보람이다. 어느 순간 쑥스럽기도 하고, 자랑스럽다.

내가 알고 있는 글쓰기의 정석(定石) 5가지 원칙이 있다.

글쓰기 정석이란 바로 글쓰기의 요령이다. 글쓰기 요령을 익히면 누구나 쉽게 한 권의 책을 만든다. 내 책 만드는 글쓰기 5가지 요령은 글쓰기의 기본적인 사항이다.

첫째, 무엇을 쓸까 생각하기

무엇을 쓸지 큰 주제를 생각한다.

일단 무엇을 쓰고 싶은지 선정한다. 시, 소설, 자서전 등 무엇을 전달하고 싶은지 글의 주제와 내용을 간단하게 정한다. 일기를 쓰는 글쓰기는 하루를 반성하는 글이다. 책 쓰기는 삶의 경험이나 교훈이 되는 비법을 쓰는 일이다.

내 책 만들기 주제를 정하는 일이 우선이다. 주제는 일상에서 자신의 삶과 연관되는 일을 생각한다. 세상의 관심사나 자신의 전문적인 지식 분야이다. 내 삶의 경험 이야기다. 주제를 정하고 제목은 나중에 정하는 게 정석이다. 주제 정하기가 제일 우선이다.

저자의 주제 정하기 방법 사례이다. A4 종이 중심 가운데에 자신의 이름을 써보고 무엇을 쓸 것인지 마인드맵을 작성한다. 일상에 대해 생각나는 단어를 무조건 작성한다. 한 단어나 문장으로 주제를 정리했다. 주제가 선명한 글이 글의 힘이고 좋은 글이다.

교육법, 헌법, 수업, 교사, 글쓰기, 책 만들기, 저자 되기, 행복수업, 독서, 행복한 수업, 방학, 여행, 수석교사, 자유학기제….

학교 일상과 관련된 내용을 단어나 문장으로 나열하면 이게 주제가 된다. 이런 방법으로 주제를 정하고 쓴 책의 제목이 다음과 같다. 책의 제목은 글을 쓰면서 또는 원고를 끝내고 생각해도 된다.

그동안 출판한 도서의 주제와 책의 제목이 거의 일맥상통한다.

교육법과 헌법과 관련한 책 『세상에 이런 법이』, 교사의 수업 방법 7가지와 행복한 학교생활에 관해 나열한 책 『행복해지는 교사들의 7가지 수업』, 『수석교사』 등이다.

10대에게 알려 주고자 작성한 시리즈의 도서 제목이다.

독서와 글쓰기 방법을 알려주는 책 『10대에게 전하는 글쓰기 정석 10가지』, 『10대에게 알려주는 독서의 정석』, 『10대에게 알려주는 메이커(MAKER) 정석』, 『10대에게 알려주는 인공지능 활용에 관한 책 뤼튼(WRTN)의 정석』 등.

삶과 인간관계, 인생사에 관한 도서 제목이다.

인생의 삶에 관한 『행복 비타민』, 『나는 교육실천가』, 『교육실천가 2』, 『교사의 일상』, 『수석교사 수업 톡(TALK)』….

주제는 핵심 내용을 '한마디로 말하면 무엇일까?' 생각한 문장이다.

한 문장이나 단어를 작성하여 주제를 정하면 글쓰기의 기초 작업 시작점이 된다. 글쓰기 요령의 첫째는 '무엇을 쓸까'이다. 독자에게 전하는 나만의 주제를 정하는 일이다.

둘째, 목차나 소주제를 정하고 글쓰기

목차는 책의 내용이다.

주제에 적합한 소주제 만들기 방법이다. 일종의 차례를 만드는 일이다. 책의 큰 뼈대이다. 이는 회사나 기관의 조직도를 생각하면 된다. 큰 주제에 작은 주제를 나열하는 방법이다.

차례 만들기는 차례를 쓰고, 내용에 따라 순서를 조정한다. 책의 목차는 일단 소주제로 핵심 단어로 배열한다.

예를 들면 1장~5장을 주제로 소주제를 잡는다. 책의 차례 1~5마다 각 장에 무엇을 담을지 주제를 적는다. 이렇게 1장부터 5장까지 A4 용지 5장에 각각 뼈대를 대충 작성한다.

1장 ….
2장 - 내 책 만들기의 정석
　소주제 :
　　글쓰기 방법, 주제 만들기,
　　내 책 만드는 출판 방법,
　　무료 책 만들기 비법 ….
3장 - 무료로 내 책 만들기 비법
　소주제 :
　　무료출판 사이트 안내,
　　무료출판 방법 ….
4장~ 5장 ….

셋째, 주제별 일단 글쓰기다

글의 주제는 쓰고자 하는 핵심 내용이며 기둥이다.

주제별 글쓰기는 책의 전체 뼈대이다. 주제를 선정하고 주제별 아이디어를 간단하게 작성하는 글쓰기다. 주제 글은 일단 중요한 단어나 문장으로 쓰는 일이 중요하다.

전체적인 주제를 잡으면 일단 후다닥 한 줄 쓰기, 3~4줄 쓰기로 한 페이지를 작성해본다. 일단 대충 무조건 작성하고 일정 시간이 지나면서 채워나간다. 일과 중에 생각날 수 있고 출퇴근 시간에도 생각난다. 이를 메모하고 기록하는 게 아이디어 수집이다. 주제별 아이디어는 종이에 컴퓨터에 추가한다. 아이디어를 정리하고 천천히 문장을 쓴다. 맞춤법, 띄어쓰기 신경 쓰지 않고 일단 작성한다.

완벽하지 않아도 괜찮다. 중요한 것은 주제별 흥미를 끌 수 있는 내용이나 생각을 후다닥 작성하는 방법이다.

글감은 일상 속 어디에나 있다. 주제별, 차례로 하나의 목차별로 3~4줄 A4 용지, 메모지에 쓴다. 습관 되면 언제 어디서나 쓰게 된다. 책을 쓰고 싶다면 평소에 글감을 모아둔다. 메모하는 습관은 꾸준함과 성실성의 태도이다. 일상에서 늘 메모하는 습관은 책 만들기의 기둥이 된다.

넷째, 추가하는 글쓰기다

추가하는 글쓰기는 내 글을 살펴보고 지금까지 작성한 소 주제별 글을 확인하고 읽어본다.

뼈대 만들기 한 글의 내용 읽어본다. 부족하다고 생각될 것이다. 알고 있는 지식과 모르는 내용을 구분하는 능력이 생긴다. 이때가 자신을 탐색하는 마음을 파악하게 된다.

주제별 내용에 추가할 사항을 다시 생각한다. 글을 쓰는 게 목적이 있어야 한다. 글쓰기 주제를 정하면 쓰는 목적을 분명하고 명확한 내용으로 써야 한다. 부족한 내용을 추가하는 방법이다. 필요한 내용과 관련 책을 읽는 일, 유튜브나 영상을 시청하는 일, 신문 기사, 논문을 검색하는 일이다.

전문지식은 내가 잘 모르는 분야이다. 이 세상의 일이 모두 전문분야이다. 사람들 모두 전문가임을 실감한다. 내가 하는 일 외는 솔직히 말해 대부분 모르면서 지내는 게 삶이다. 그래서 평생 공부가 필요하다. 책을 쓰는 일이 이렇다.

좀 더 깊게 쓸 내용이나 전문적 분야의 지식을 인용하는 방법이다. 인용한 다음 나만의 해석으로 생각을 주장을 비교하여 근거를 제시하며 글을 쓴다. 주장하는 글, 근거를 제시하며 사례나 예시를 기록한다.

다섯째, 글쓰기는 고쳐쓰기다

글쓰기는 일단 쓰고 나중에 고쳐 쓰는 게 글쓰기 요령이다.

지금까지의 글을 읽고 수정한다. 일단 고쳐 쓰는 일이다. 글을 수정하는 요령은 문장을 짧게 쓰는 게 우선이다. 한 권의 책을 만드는 글쓰기는 자료가 많아야 한다. 글감이 풍부하면 주제를 정하고 책 만들기가 쉽다. 책 한 권을 만들 때는 쓰고 보충하고 수정하고 고쳐 쓰는 게 비법이다. 완성되기까지 인내하며 글을 쓸 수밖에 없다.

보충하는 글은 인용하는 방법이다. 전문 도서, 논문, 강연자료, 인터넷 등 많이 검색하고 찾아서 활용한다. 책 속의 글은 아이디어를 나열한 것이다. 내 생각을 보충하고 주장하고 사례를 넣어 마무리한다.

원고는 다시 읽고, 말이 되게 수정하고, 다시 고쳐쓰기다. 글의 전체적인 내용을 읽기 쉽게 바꿔쓴다. 길게 쓴 글은 짧게, 전문용어나 어려운 문장은 쉬운 단어로 바꿔쓴다.

전문적인 한자나 영어보다는 이해하기 쉽게 고쳐 쓰는 게 고생이다. 하지만 모든 작가의 처음 작성한 책의 원고는 끔찍하다고 말한다. 첫 원고는 누구나 형편없다고 여기는 게 대부분이다.

모든 책은 수십 번 고쳐 쓰고 수정한 것이 출판된다.

소설가 어니스트 헤밍웨이(Ernest Miller Hemingway)는 “나는 '무기여 잘 있거라'를 마지막 페이지까지 총 39번 새로 썼다.” 라고 한다. 작가 존어빙(john Irving)은 “내 인생의 절반은 고쳐 쓰는 작업을 위해 존재한다.”라고 했다. 원고는 수정을 많이 하는 고쳐쓰기를 강조한다. 퇴고할 때까지 간결한 표현으로 고쳐 쓰는 것이다.

글을 작성한 후 여러 번의 검토를 통해 수정하여 글을 완성도를 높이게 된다. 작가는 글을 쓰고 고쳐 쓰고 수정하여 마지막에 완성된 최종 원고를 책으로 만드는 것이다. 책은 이렇게 작업한 결과물이다. 저자가 쓴 책의 글을 읽고 감동한다면 다행이다.

한 권의 책 만드는 과정은 외롭고 괴롭고 힘들다는 사실을 누가 알랴. 어려우니까 대부분 사람이 책을 안 쓴다.

저자 되는 길은 쉽지만 어려운 과정을 이겨낸 사람들이다. 저자는 고진감래를 실감한다. 책이 완성되면 그동안 힘든 게 모두 기쁨과 보람과 만족으로 되돌아온다. 인기도서 작가는 대단하고 위대한 가치를 영광으로 인정된다.

5. 글쓰기 정석 ③ 글쓰기 정석은 5W1H다

글쓰기는 목적과 이유가 있어야 한다.

글을 쓰는 비법은 단지 글을 쓰면 된다. 생각하는 것을 한 줄로 쓰면 시작이다. 마치 밥 먹듯이 하루에 몇 줄 작성하면 된다. 매일 하려면 꾸준함이 요구된다.

책을 만들려면 글감이 필요하다. 글감은 개인의 삶에서 생긴다. 여러 가지 재료가 있어야 맛있는 요리를 만드는 원리다. 특별요리는 특별한 재료가 있어야 한다. 따라서 일상을 기록하는 게 중요하다. 이는 글감이 된다. 책 만드는데 필요한 재료가 된다. 글감을 많이 준비하면 책을 만드는 쉽게 활용하게 된다.

글쓰기에는 정답이 없다. 다만 글쓰기 정석과 정성, 요령이 있을 뿐이다. 매일 끄적이고 컴퓨터로 치면 된다. 요즈음에는 마음먹기에 따라 상황이 아주 다르다. 아이디어만 있으면 누구나 글을 쓸 수 있는 시대이다. 말을 할 줄 알면 누구나 글쓰기를 할 수 있는 것이다. 말을 글로 바꾸면 된다. 말을 글로 바꿔주는 애플리케이션도 있다.

요즈음에는 말을 글로 바꾸어주는 앱 검색하면 다양한 앱이 등장한다. 유튜브에는 책을 읽어주는 영상도 많다.

과거엔 글쓰기가 무척 힘들었다고 한다. 원고지에 글을 쓰는 시대에서, 말을 하면 글이 써지는 세상이다. 앱을 실행하고 스피커에 말하면 글로 바뀌는 세상이다. 인공지능 등장으로 편리한 세상이다.

요리할 때는 재료 준비와 요리 순서가 있다. 집을 짓는 경우도 구상과 설계 및 재료 준비하고 기초공사를 시작하며 완성한다.

글쓰기도 마찬가지다. 글을 쓰는 정석을 알아두면 된다.

글쓰기의 원칙이다 5W1H이다.

육하원칙은 6가지 원칙이다. who, where, when, how, what, why이다. 글을 작성하기 전엔 무엇을 왜 쓰는지를 생각하고 작성한다. 가장 중요한 것은 Why이다.

Why->How->What의 순으로 이유와 목적, 어떻게 할 것인가에 계획해야 한다.

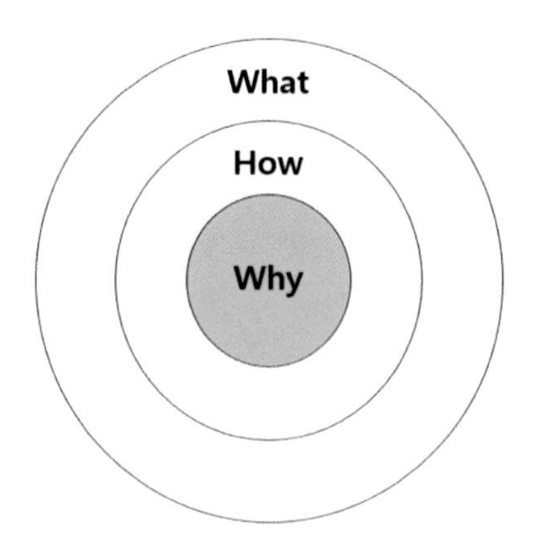

글쓰기 왜 하는가?

나는 글을 왜 쓰는가?

글을 쓰는 목적을 정하는 일은 중요하다. 이유가 있어야 글을 쓱 되며 목적이 없다면 안 쓴다. 글쓰기를 할 때 많이 고민하게 된다. 무엇을 쓸지, 어떻게 쓸지 걱정하다가 포기하는 사람이 많다.

왜 쓸까?

매슬로우 5단계 욕구 이론이다. 매슬로우(Maslow)는 '욕구 5단계'설에 따라 인간의 욕구는 "생리적 욕구부터 시작하여 안전의 욕구, 사회적 욕구, 존경의 욕구, 그리고 자아실현의 욕구 순으로 점차 고차원의 욕구로 진행된다"라고 설명하였다.

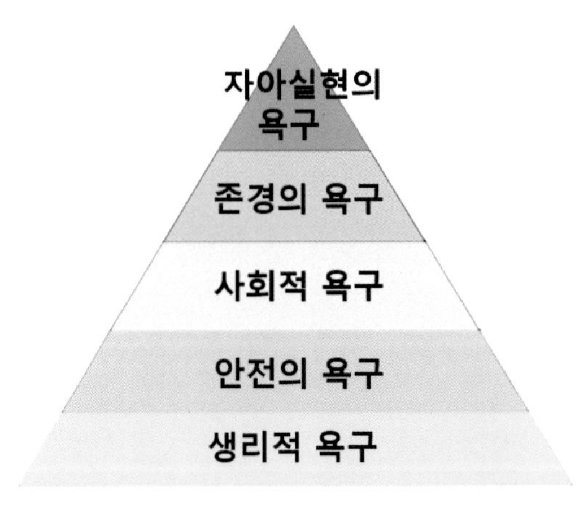

내 삶은 위대한 것이다.

자신을 표출하고, 과시하며 관심을 받고자 하는 게 사람의 욕구다. 신분이나 자기 명예, 지위, 자부심, 자긍심, 자존심 등이 존경의 욕구와 자아실현 욕구가 있다.

글을 쓰려는 이유는?

내 생애 한 번쯤 책을 출간하고 싶은가?

홍보하고 판매해서 수익을 내고 싶은가?

내 책 만들어 Give할까?

누구를 위해 쓰는가?

글을 쓴다는 것은 참 좋은 일이다.

글을 쓰는 데 무엇을 쓰느냐도 중요하다. 왜 쓰느냐는 정말 중요하다. 글쓰기는 많은 시간이 필요하다. 그뿐만 아니라 튼튼한 체력도 요구한다. 글을 써보면 1페이지, 10페이지, 100페이지가 쉬운 일은 아니다. 그렇지만 '티끌 모아 태산'이라고 글이 모이면 책이 된다.

책을 만드는 이유에 대한 대답은 다양하다. '인사유명(人死留命) 호사유피(虎死留皮)'의 글이 있다. 사람은 내 이름과 명예를 중요하게 생각한다. 유명한 사람이 되고 싶기도 하고 존중받거나 자랑하고 싶은 일도 있다.

책하나 만드는 게 소원인 경우도 많다.

글을 모아 내 책 만들기 하는 느낌은 여러 가지다. 나 자신을 더 잘 알 수 있었고, 과거 추억이 생각나 성찰하게 된다. 글을 쓰면서 잡념이 사라지는 경험도 한다. 내 생각을 표현하면서 부족함을 알게 된다.

유시민 작가는 "글쓰기는 축복이다"라고 말한다.

"이 세상을 잘 사는 만큼 쓰고, 혹평과 비난 댓글을 겁내지 말라며, "글쓰기는 기능"이라고 하였다. 글쓰기의 기쁨은 바로 깨달음이 된다는 의미다. 나를 돌아보는 계기가 된다.

글쓰기는 나의 생각이고, 나를 찾는 게임이다. 내 글은 바로 나 자신이다. 내 글은 나를 발견하는 돋보기다. 나를 정확하게 이해하고, 나를 깨닫는 기회가 된다.

글 쓰는 방법은 각자 느낌대로 써 가는 것이다.

내가 쓴 글이 많아지면, 즐겁고 또 다른 생각이 나면서 뿌듯한 경험을 한다. 즐겁고 행복한 글을 쓰면서 고민도 되고, 단어를 쓰다가 지난 일을 반성하며 깨달음을 가지게 된다. 고민하고 궁리하고 생각을 많이 하게 된다. 한 글자 쓰는 게 작은 일이라고 생각하겠지만, 쌓이면 책이 만들어지고 위대한 작품이 된다.

글쓰기는 내가 성장하고 성찰하는 기쁨을 얻는다.

'나는 작가다' 생각하고 글쓰기 한다.

글쓰기 습관이 형성되면, 내 운명이 바뀐다. 매일 매일 습관이 중요하다. 글쓰기는 나와 대화하기 위해서 쓴다. 글쓰기는 나와 소통하기 위해서 쓴다. 자신 일상에서의 소감과 느낌, 독서 후 알게 된 점, 깨달은 점을 기록하고 후에 주제를 정해 내 책 만드는 것이다.

글을 쓰고 작가가 된다면 이는 자랑스러운 일이다.

글 쓰면서 작가 되면 설레고 '나 이런 사람이야.' 자랑도 하고 싶고, '인세 좀 받으면 좋겠다.', 생각하며, 인기도서 작가의 꿈도 생긴다. '나도 작가야', 명예도 생긴다.

자부심과 자신감이 껑충 뛴다. 자신에 대한 자존감도 향상되고 기쁨을 주체할 수 없게 된다. 자꾸 홍보하게 된다. '나 이런 사람이야.' 만족은 행복을 가져다준다. 글을 쓰고 책이 완성되면 과정의 고통은 다 사라지고 즐거움이 온다.

내 책을 만들면 누구나 경험하는 행복이다. 만족하면 다행이고, 욕구가 생기면 또 다른 책을 쓰게 된다. 스스로 잘하는 일 좋아하는 일을 하면서 글로 세상에 이바지하는 자아실현의 삶의 기회가 된다.

내 삶을 글로 쓴다. 일상의 모든 일이 글이 된다. 글쓰기는 일상의 일을 작성하는 것이다. 인생 경험이 글감의 모든 것이다. 글쓰기는 가치 있는 삶을 찾아가는 길이며, 자기 만족하는 생활이다. 글 쓰는 일과 경험은 작가 되는 지름길이다.

책을 읽는 자가 작가다.

책을 읽는 자는 작가 되는 길을 빠르게 걷고 있는 행동이다. 내 글은 내가 주인이다. 내 글을 읽고 독자는 판단한다. 독자는 내 글에 비판을 할 수 있지만 나는 내 책 만든 것에 만족하면 그만이다. 다음에 더 좋은 내용의 글을 써서 책을 만들면 된다. 독자에게 필요한 책이 무엇인지 잘 모른다.

다만 나에게도 이롭고 남에게도 좋은 책을 쓰면 금상첨화이다. 독자의 만족을 얻게 될 것이다. 내가 글을 쓰는 즐거움과 내 책을 만드는 기쁨을 누리기를 기대한다.

무엇을 쓸까?

글쓰기 생각을 했다면 '다음에 하지'가 아니라 지금 당장 쓰면 되는 것이다. 지금 당장 글을 쓴다. 무엇인가 조금씩 쓰면 된다.

매일 밥 먹듯이 글을 쓰면 된다. 글쓰기 습관이 안 되면 글 쓰는 게 귀찮고 괴롭거나 고통일 수 있다. 당연한 일이다. 습관이 형성될 때까지 규칙적인 행동이 쉬운 일은 아니다.

무엇을 쓸까?

전문 도서를 생각해 보자. 전문 도서는 전문가 되려는 사람에게 필요하다. 일반인 중 전문 서적에 관심이 있겠지만 대부분은 무관심일 수 있다. 내 생애가 바로 나만의 전문가다. 내가 바로 전문가다. 내 삶의 이야기에 의미 있는 삶의 가치를 덧붙여서 작성하는 게 '자서전'이다. 여행서와 자서전은 내 경험과 내 마음의 이야기다.

시, 소설, 수필…. 무엇을 쓰느냐는 글 쓰는 자의 몫이다. 글을 쓸 주제를 선택하는 것은 개인의 관심사와 목적에 따라 다르다.

누구나 글을 쓰지만 무엇을 쓸지는 고민이다. 삶의 현장은 바쁘다. 취미, 사회 문제, 교육 등 다양한 주제를 선택하여 쓸 수 있다. 글을 써야겠다고 마음먹었다면 무조건 쓴다. 생각만 하면 고민만 깊어진다. 고민하지 말고 쓴다. 일단 일상을 쓴다. 현재 하는 일에서 일기처럼 모든 사항을 기록해두면 글감의 재료가 된다.

메모의 수는 책의 재료가 된다. 현재 하는 일에서 폭을 넓히면 글감이 무궁무진하다. 내 일상의 내용을 쓴 글이 원고이다. 원고는 작성된 글감에서 주제를 찾아서 합친다. 글이 모이면 정리한다. 차례에 맞게 글감을 목차에 맞게 합친다. 이를 이용하여 책을 완성한다. 책은 글감이 기본이다.

어떤 글을 써야 하는지를 생각해 보자. 일반 독자가 감동하는 도서를 만드느냐의 선택은 작가에게 달려있다. 독자가 원하고 정보를 얻는 내용은 좋은 책이 된다. 삶에서 얻은 경험을 공유하여 독자들의 성장을 도와주는 실패와 성공스토리도 의미가 있다. 직업에서 얻은 노하우나 팁을 제공하는 글은 관련 직업인에게 도움이 될 수 있다.

글쓰기는 창작이다.

글은 모으면 된다. 글 모으고 글 쓰면 작가가 되는 것이다. 창작에는 수많은 생각과 고통이 따르게 마련이다. 글쓰기 시작하기가 매우 어렵다고 한다. 무턱대고 쓰면 된다. 자신의 일상, 자기 삶의 과정, 독서의 깨달음, 자신의 자랑거리를 글로 쓴다. 도전하는 정신이 필요하다. 시작하는 게 중요하다. 목적의식도 필요하다. 글을 쓰고 책 만들겠다고 목표를 세우면 누구나 다 할 수 있다. 지금부터 시작이다.

글은 어떻게 쓰지?

매일 글을 쓴다.

다시 강조한다. 일상을 기록하는 것이다. 글쓰기는 매일 쓰는 습관이 중요하다. 신문을 읽거나 책을 보면 좋은 글이 많다. 이를 읽고 끝나는 게 아니라 요약하고 느낌을 적는다. 글쓰기에 좋은 습관이다. 컴퓨터로 입력하거나 메모장에 기록한다. 유튜브나 강연의 내용도 마찬가지이다. 공부하다 메모하고, 업무 보다가 많이 기록한다.

좋은 글들을 차곡차곡 모으다 보면 양이 늘어난다. 돈이 쌓이면 재산이 증가하고 부가 형성된다. 짧은 글과 메모가 쌓이면, 글감의 재료가 많아지고 나중에 책 만드는 글감이 된다. 한 문장 한 문장 기록하는 게 중요하다. 글이 모이면 책이 된다. 이것은 내 책 만드는 데 활용한다.

글을 잘 쓰려면 독서를 한다. 책을 읽으면 내용 중 좋은 글이 있다. 이를 적거나 요약하고 느낌을 기록한다. 독서는 알고 싶은 내용 깨닫게 하고, 모르는 내용은 더욱 궁금해지게 한다. 알게 되면 터득하고 세상을 보는 눈이 달라진다. 글도 마찬가지다. 글 쓰면 주제에서 궁금한 것이 확대된다.

글은 어떻게 쓰지?

써

쓴다

막 쓴다

일단 쓴다

그냥 쓴다

매일 쓴다

고쳐 쓴다

베껴 쓴다

따라 쓴다

다시 쓴다

바꿔 쓴다

일상을 쓴다

무조건 쓴다

어디서나 쓴다

말하면서 쓴다

생각대로 쓴다

조각조각 쓴다

읽고 바꿔 쓴다

틈나는 대로 쓴다

언제 어디서나 쓴다

주변 사람과 함께 쓴다.

글쓰기 방법 중 가장 좋은 것은 글을 쓰는 일이다.

글쓰기는 습관이다. 간단한 방법을 제시한다. 일상에서 일어나는 정보를 기록하면 된다. 특별한 주제도 필요 없고, 단어나 문장으로 쓰면 된다. 어떤 느낌이나 소감을 작성한다. 일기처럼 매일 꾸준하게 기록하면 된다, 일기를 쓰는 경우가 평소에 습관화되는 글쓰기다. 일기 쓰면 작가의 소질 능력이 향상되는 출발점이다. 일상을 기록하는 습관은 글쓰기 작가의 기질이 넘치게 된다.

처음에는 글자 하나, 단어를 기록하고, 내가 하는 생각들을 꾸준히 정리하다 보면 문장이 완성된다. 생각의 정리이다. 일기나 편지 쓰듯이 쓰면 된다. 쓰면 생각이 점점 확장되고 커지게 된다. 글이 모이게 된다. 눈덩이 불어나듯이 여러 가지를 생각나는 대로 작성한다.

글쓰기가 습관이 되면 즐거움이 생긴다. 누군가는 글쓰기가 삶의 활력소이자 에너지가 된다. 글쓰기는 글의 양이 늘어감에 따라 재산이 늘어나는 것처럼 뿌듯함이 생긴다.

글을 쓰는 습관은 미래를 여는 열쇠이다. 습관이 되면 글 쓰는 실력이 늘게 된다. 나의 일상에서 글쓰기 습관은 인생의 변화를 만들어 줄 씨앗이다. 삶의 기쁨이 되며 미래를 바꿀 것이다. 글쓰기의 핵심은 바로 글을 쓰는 습관이다.

말과 글은 의미와 뜻이 다른 경우도 많다. 동문서답일 수도 있다. 글쓰기는 내 생각을 정리하고 책으로 만드는 일이다. 책을 만들면 저자가 되고 초보 작가 된다.

주제를 정하고 몰입하면 글감이 생각난다. 생각나는 대로 쓰면 글의 양이 많아진다. 주위 사람들과 아이디어는 공유하고, 글을 쓰는 일을 반복한다. 독서 후 지식을 얻게 된 사항을 글로 쓰고 요약하거나 느낌과 소감을 쓴다. 여행 전과 후 경험과 느낌, 일상을 지내면서 느낌과 소감도 기록한다. 일기 쓰듯이 메모한다. 짧은 글쓰기 내용은 수정하고, 고쳐쓰기를 반복하는 일이다.

강원국 작가가 강연에서 한 말이다.

"요리 재료가 많으면 다양한 요리를 할 수 있다. 레고 블록의 수가 많으면 다양한 창작물을 조립할 수 있듯이 글쓰기에도 다양한 메모가 필요하다"라고 말했다. 글은 직접 쓰고, 글을 모아야 글감의 재료가 쌓이게 된다. 재료가 많아야 책을 쓰기가 쉬워진다는 의미다.

한 글자는 단어가 되고, 한 단어는 문장이 된다. 한 문장은 문단이 되고, 문단이 많아지면 원고가 되고, 원고가 모이면 책이 된다. 글쓰기는 오감을 총동원하는 일이다. 모든 분야가 궁금해지고 호기심이 생긴다. 주제에 관심 가지거나 몰입하게 된다. 주제와 관련된 내용을 글로 쓰면 된다.

좋은 글 나쁜 글 이상한 글 따로 없다.

일상의 다양한 경험과 느낌의 글을 쓴다. 생각과 느낌, 소감, 경험을 기록한다. 독서하고, 좋은 문구를 베껴 쓰기부터 한다. 오로지 꾸준히 글을 쓰는 것만이 글을 잘 쓰는 가장 좋은 비법이다.

메모하는 습관은 글쓰기의 주춧돌이다. 생각대로 메모한 글이 많으면 글감이 쌓인다. 글감은 요리할 때 필요한 요리 재료이며 양념과 같다.

글, 명언, 신문, 스크랩 등 메모가 모이면 책을 완성할 수 있다. 그동안 틈틈이 작성한 저자의 메모 사례이다.

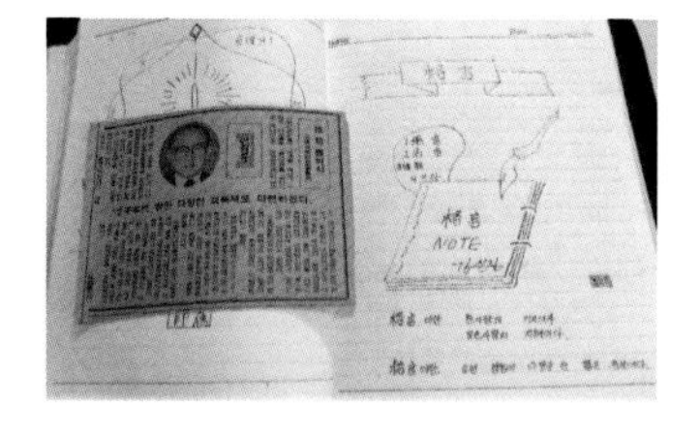
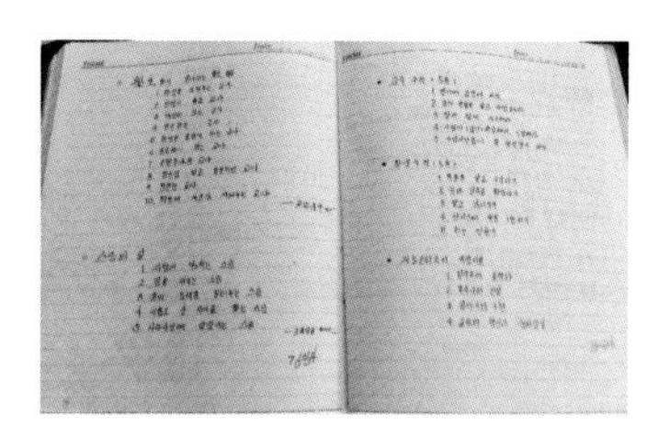
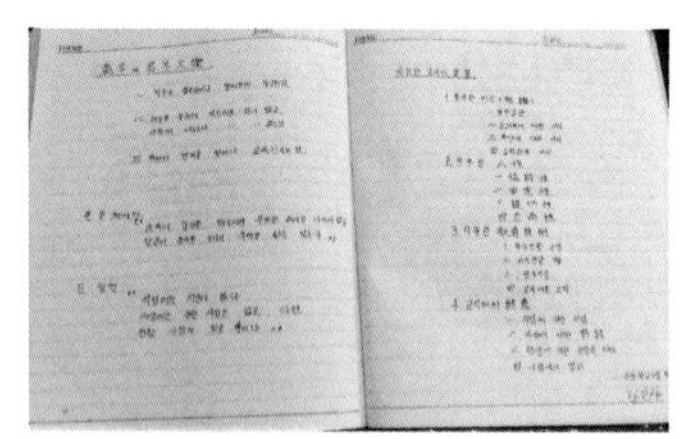

6. 글쓰기 정석 ⑤ 글쓰기는 창조하기

모방은 창조의 시작이다.

좋은 글을 모방하는 것도 하나의 방법이다. 글을 쓰거나 그림을 그릴 때, 처음부터 새롭게 만들어내는 사람은 타고난 천재이다. 그렇지만 평범한 사람들이 새로운 것을 창조하려면 모방은 필요하다.

성경에 "하늘 아래 새로운 것은 없다."라고 한다. "창조는 여러 가지 것들을 연결하는 것일 뿐이다."라는 말도 있다. 모방은 창조의 시작이다.

볼테르 (1694~1778) 철학자·작가는 "독창성이란 사려 깊은 모방에 불과하다."라고 했다. 글쓰기가 바로 모방과 창조의 기술이다.

베끼는 게 아니라 참고하는 방법이다. 내가 알고 있는 지식에 다른 무엇인가를 합하고 빼고 더하는 과정을 거친다. 주변의 사항을 융합하는 일이다. 명언은 새로운 자극이 되고 새로운 영감을 제시한다. 어떤 것을 표절하라는 게 아니다. 표절과 모방, 그리고 창조는 서로 애매한 영역이 있는 것은 사실이다. 남의 것을 그대로 따라 쓰면 표절이다. 글을 쓰는 창작에는 융합적인 사고가 필요하다.

“모방은 창조의 어머니다.” 아리스토텔레스의 명언이다.

저작권이나 특허의 중요성이 주목받는 지식 기반의 사회에서 모방은 표절과 비슷하게 받아들여진다. 흔히 모방은 나쁜 것으로 여겨지기 쉽다. 하지만 모방에서 창조가 시작된다. 매일매일 변하는 게 세상이다. 이 세상의 발명품이야말로 모방이 대부분이다.

새롭게 만드는 발명품은 과거의 형태를 더욱 아름답게 편리하게 바꾸는 일이다. 그림을 그리는 유명한 화가도 비슷하다. 새롭게 창조하지만, 과거의 그림을 모방한 게 매우 많다. 소설, 영화 드라마도 새롭게 창조하지만, 대부분 모방해서 아이디어를 얻는다. 매일 새로운 책이나 영화, 음악은 무수히 쏟아진다.

조지 버나드 쇼 (1856~1950) 극작가는 “상상은 창조의 시작이다. 간절한 바람을 상상하고, 그다음 상상한 것을 바라고, 그리고 결국엔 바라던 것을 창조한다.”라고 했다. 글쓰기는 발명처럼 새로운 것을 창조하는 거나 마찬가지다. 책도 새롭게 창조한 저작물이다. 저작물은 저작가에게 권리가 있다. 글을 모방하는 건 창조하는 기초가 된다. 다른 사람이 작성한 글을 읽고, 전체적인 흐름과 내용을 파악한다. 보고 아이디어를 얻는 일이다.

세상일을 잘 관찰하면 모방은 창조의 어머니임을 실감한다.

7. 작가들의 글쓰기 TIP이다

과거나 현재, 미래에도 글의 원고가 있어야 책이 가능한 것이다. 글은 창조하는 것이다. 글쓰기 딱 좋은 조건은 전혀 없다. 딱 좋은 방법도 절대 없다. 하물며 딱 좋은 누구도 없다. 글쓰기 누구나 시작하면 된다.

내 책을 만들면 보람과 만족을 얻는다. 자랑스러움과 성취감, 자신감이 넘친다. 독서와 글쓰기 노력을 절대 배신하지 않는다. 독서는 지식과 지혜로 돌아오고, 글쓰기는 책이 되어 내게 온다. 꾸준히 글을 써야 한 권의 책이 된다.

글을 쉽게 쓰는 것이 중요하다.

교직 생활을 토대로 원고를 만드는 방법은 일상을 쓰는 거다. 그동안의 교육 경험과 방법이 곧 도서의 주제가 된다. 어떤 글을 쓸지 정하는 일이 우선이다. 관련 도서나 글을 읽고 전파하고자 하는 메시지가 중요하다. 글의 제목은 주제를 잡고 글을 쓴다.

글을 쓸 때는 결론을 먼저 정해 놓고 글을 쓰는 것이 매우 도움이 된다. 글로 전달하려는 메시지는 간결해야 한다. 주제만 분명하다면, 그 이후에 살을 붙이는 것은 어렵지 않다. 왜냐하면 주제와 관련된 자료를 조사해서 이유나 근거, 사례나 예시를 추가하면 글이 완성되기 때문이다.

글을 쓴다는 것은 나와 싸우는 것이다.

자기 자신의 생각과 싸우고, 글과 싸우면서 글쓰기 하는 것이다. 적절하게 타협하는 일이다, 이 말이 좋은가, 저 말이 좋은가, 이 단어가 좋은가, 저 단어가 좋은가, 타협하는 일이다. 글쓰기는 흰 백지를 검게 채우는 일이다. 천 리 길을 가기 위하여 한 걸음씩 묵묵하게 걸어가듯이 한 글자씩 쓰는 것이다.

저자도 그간 글 쓰고 책을 출판하면서 성찰한다. 삶의 경험에 감사한 일이 너무 많다. '보답하는 길은 무엇일까?' 생각하면서 지내고 있다. 글 쓰고 내 책 만드는 비법을 알려주는 일이 보답 중 하나라 생각하여 글쓰기 비법을 전한다. 글 쓰고 무료로 내 책을 만들어 작가되는 비법을 알리고자 한다.

글쓰기는 도전이고 용기다.

도전은 아름다운 것이다. 지금부터 작가 되어 자아실현이라는 가치 있는 삶을 살아가는 기회가 되길 희망한다. 글을 쓰고 모아두고, 독서하고 베껴 쓰거나 느낌을 작성하는 게 초보 작가가 해야 할 의무사항이다. 이런 일을 반복하면 작가가 되는 지름길이다. 노력하면 다 이루어진다. 행운이 늘 함께하길 바란다.

글을 쓰는 사람이 작가다. 작가 되는 지름길을 알려주는 글쓰기 팁 5가지를 간단하게 제시한다.

일, 일단 쓴다

어떻게 쓰지?

글쓰기 처음 하면 당연히 어렵다. 왕도가 없다. 일기나 메모하듯이 간단하게 쓴다. 얼만큼을 쓴다는 규칙은 없다.

유명한 작가 스티븐 킹은 "만약 글을 쓰고 싶다면 많이 읽고, 많이 써라."라고 한다. 일단 써보는 것이 가장 중요하다. 글은 직접 써보는 것이 더욱 중요하다. 내가 쓰는 글은 자기 자신이 제일 잘 안다. 무엇을 쓸 것인지 생각하는 게 아니라, 무엇이든지 쓰는 게 글쓰기다.

'한 줄 쓰기가 시작이다'

일상의 이벤트도 좋고, 주제를 정하여 써도 괜찮다. 쓰는 목적을 분명하게 해서 매일 쓴다면 좋은 일이다.

지금 생각나는 한 줄 글쓰기 한다.

구양수의 삼다(三多)론 이다. 삼다는 다독(多讀)、다작(多作)、다상량(多商量)으로서, 글을 잘 쓰려면 책을 많이 읽고, 글을 많이 써보고, 많이 생각해야 한다는 것이다. 이를 꾸준히 잘 실천한다면 글쓰기 실력이 크게 향상될 것이다.

이, 이야기하듯이 쓴다

어떻게 하면 잘 읽히는 글을 쓸 수 있을까?

글을 쓸 때 누구나 두려움이 생긴다. 글 잘 쓰는 방법이나 비법을 알려주면 이를 실천하는 게 초보 작가가 할 일이다.

설명하는 글은 주제를 중심으로 이해가 잘되도록 작성한 글이다. 전문 도서나 대학의 전공 도서 글이 대부분 설명하는 글이다. 일반적인 수필은 이야기하듯이 묘사를 잘하며 이야기하듯이 쓴 글이 대부분이다.

저자 강원국은 도서 『나는 말하듯이 쓴다. 강원국의 말 잘하고 글 잘 쓰는 법』에서, "글을 잘 쓰고 싶으면 말을 잘해야 하고, 말을 잘하고 싶으면 글을 잘 써야 한다는 '엄연한' 사실을 바탕으로 말 잘하고 글 잘 쓰는 법을 설명한다. '일단' 말하듯이, 말해 보고, 말한 대로 써보라"라고 강조한다.

"말하듯이 쓴다."라는 말은 곧 대화하듯이 소통하는 글을 쉽게 쓴다는 의미다.

삼, 삼갈 말은 삼가고 쓴다

글 내용에 무엇을 삼갈 것인가?

신독(愼獨)의 사전적 의미는 "홀로 있을 때도 도리에 어그러짐이 없도록 몸가짐을 바로 하고 언행을 삼감."이다. 혼자 있을 때 스스로 삼간다는 뜻이다. 남들이 모두 지켜보는 가운데, 남들이 다 들을 수 있는 곳에서 글을 쓰는 게 아니다. 쓴다. 남들이 지켜보지 않고, 남들이 들을 수 없는 곳에서 스스로 글을 쓰는 일이 힘들다. 괴롭다. 그래서 스스로 혼자 있을 때 모든 언행일치를 조심해야 한다.

글을 쓰면서 자신을 찾고 자신을 발견하게 된다. 일기처럼 온갖 이야기를 다 쓰지만, 너무 깊은 상처를 다 쓴다면 이도 괴로운 일이다. 수필이나 인문 도서는 적절하게 정제된 말을 글로 써야 한다. 누군가는 저자의 사생활이 궁금할 수도 있다. 정제되지 않은 글, 너무 심한 말, 어려운 글 등 삼갈 글은 삼가야 한다.

독자는 무엇을 궁금해할까?

독자가 대부분 기대하는 것은 모르는 사실을 알고 싶고, 비법을, 경험을 배우길 바랄 것이다. 세상사는 반면교사(反面教師)이고, 역지사지(易地思之)다.

사, 사고하지 말고 후다닥 쓴다

제임스 서버(James Grover Thurber)는 "제대로 쓰려 말고, 무조건 써라."라고 했다. 무조건 쓴다는 말은 그냥 쓰는 행동이다. 『팔리는 책 쓰기 망하는 책 쓰기』 저자 장치혁은 "한 호흡에 훅 쓴다"라고 강조했다. 글은 일단 후다닥 빠르게 쓴다는 의미다. 언제 어디서나 빨리 쓴다를 말이다. 컴퓨터 앞에선 맞춤법, 오타, 신경 쓰지 말고 후다닥 쓰는 게 빠르게 원고를 작성하는 비법이다.

사자의 사냥을 본 적이 있을 것이다. 먹잇감을 노리고, 온 신경을 집중해 다가간다. 먹이를 노릴 때의 사자는 2~3분 동안 10㎝도 움직이지 않을 정도로 신중하다. 남의 시선을 의식해 체면으로 그러는 것은 아니다. 자신의 힘과 속도를 집중할 수 있도록 하나의 목표를 설정해 바르게 공격한다. 목표가 명확하지 못하면 사냥에 성공할 수 없기 때문이다.

지금까지 힘을 다해 집중한 경험이 있는가?

톨스토이는 "머리를 쓸 땐, 모든 정신적 능력을 그 대상에 집중하도록 노력하라"라고 언급했다. 글쓰기는 집중력이다. 생각하면서 쓰면 시간이 오래 걸린다. 초점을 놓치지 않는 사자처럼 집중해야 한다. 생각하지 말고, 생각나는 대로 컴퓨터로 펜으로 써지는 대로 쓴다.

오, 오랫동안 고쳐 쓴다

글을 쓰는 것도 중요하지만 고쳐쓰기는 더 중요하다.

글을 쓰면서 힘든 점이 고쳐쓰기다. 내가 쓴 글을 다시 보면 형편없을 때도 많다. 맞춤법도 틀리고 띄어쓰기는 더더욱 안 되어 있다. 처음 쓴 글은 완벽하지 않다. 독자가 이해하기 쉽게 올바른 문법과 맞춤법을 정확하게 고쳐 쓴다. 글을 작성한 후에는 여러 번의 편집과 수정을 통해 개선하는 게 고쳐쓰기다.

헤밍웨이는 "모든 글쓰기는 고쳐쓰기"라고 말했다. 지금까지 작성된 초고는 완성된 글이 아니다. 고쳐 쓰는 게 당연하다. 여러 번 검토해야 글을 완성도 있게 만들 수 있다. 미국 작가 존어빙(john Irving)은 "내 인생의 절반은 고쳐 쓰는 작업을 위해 존재한다"라고 했다. 고쳐쓰기의 중요성을 강조하는 말이다.

글은 오랫동안 고쳐 쓰는 일이다. 지금까지 작성한 글을 읽으면서 긴 글은 되도록 짧게 고쳐 쓴다. 어려운 한자나 영어는 쉽게 바꿔 쓴다. 문장을 하나하나 고쳐 쓰는 일이 매우 힘든 작업이다.

언제까지 고쳐 쓰느냐는 개인의 꼼꼼함과 비례한다. 고쳐쓰기 횟수나, 마감 시한은 스스로 정하여 고쳐 쓴다. 글은 고치면 고칠수록 좋은 글이 된다는 사실이다.

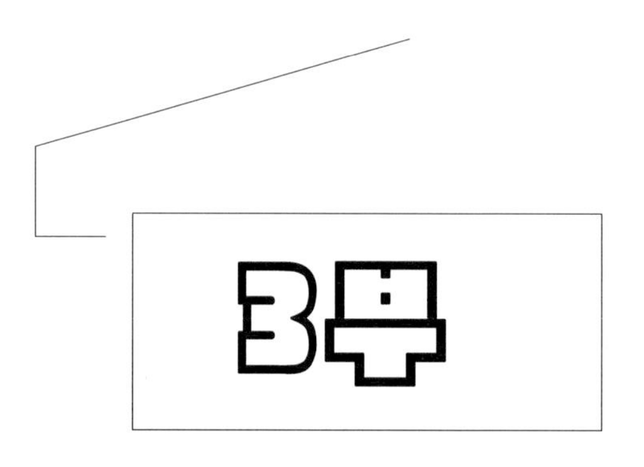
3부

글 쓰고
내 책 만들기 비법

최초의

한 문장을 쓰고,

새로운 문장을

더 보태는 것이

글쓰기다.

-로제마리 마이어 델 올리보-

3부. 글 쓰고 내 책 만들기 비법

"세상은 아는 만큼 보인다"라고 한다.

글을 매일 같이 쓰면 내 책을 만들고 싶다. 책이 다가 아니지만 내 책을 만들어 저자 되고 싶은 게 대부분이다. 직접 내 책을 만들어야 저자 되는 경험을 통해 작가의 삶을 제대로 알 수 있다.

글 쓰고 책을 만드는 경험을 통해 작가를 제대로 이해할 수 있고, 존중하게 된다. 또한 깨닫게 된다. 작가의 삶을 잘 모르겠다.

누구나 글을 쓰고 작가가 되는 시대에 행복한 작가의 길을 알아본다. 내 마음의 글을 쓰고, 따뜻한 마음을 품은 작가 되는 방법을 살펴본다. 내 책을 만들어 작가 되는 길이다. 내 책 원고가 완성되면 무료로 내 책 만들기 과정과 내 책 만들기 자세한 방법을 제시한다.

내 책 만들기의 모든 것을 알아본다. 원고가 있어야 책을 만든다. 내 책 무료 출판하기를 통해 내 책 무료 출판하여 작가 되는 행복한 교육자의 길을 안내한다.

1. 내 책 만들기 비법

누구나 내 책을 만드는 시대이다.

책 어떻게 만들지?

아주 간단하다. 글의 재료가 있어야 책을 만들 수 있다.

한 줄 글쓰기, 한 단락 글쓰기, 한 페이지 글쓰기, 글 모으기, 모인 글을 주제별로 분류하고 주제를 선정하고 책 만들기의 과정이다. 원고가 책이 되기까지의, 내 책 만들기 방법과 과정이다.

원고 쓰기는 습관이다

한 줄 쓰기로 시작한 글을 매일 쓴다.

일상의 글을 열심히 쓰면 글감이 모인다. 일단 한 문장의 글을 모아두는 거다. 여러 가지 분야 이야기를 평소 쓰는 게 시작이다.

생각을 글로 표현한 게 내 글이다. 내 원고의 기초가 된다.

글은 "티끌 모아 태산이다."를 실감한다. 매일 글을 쓰다 보면 어느새 글감이 많아진다. 이게 원고가 되어 책이 되는 것이다.

"나는 글을 쓰는 작가다." 생각하고 글을 쓰면 된다.

글을 쓰는 사람은 작가이다. 글에 대해 생각하고 창의력을 발휘하여 글을 쓴다. 매일 또는 가끔 쓴 글 한 줄, 한 장, 두 장, 수십 장 모은다. 이렇게 모은 글이 책이 된다. 책을 출판하면 작가가 되는 것이다. 작가는 글을 쓰고 책을 만드는 창조자이다.

작가 되기 참 쉽죠?

작가만 글을 쓸 수 있을까?

글쓰기는 누구나 하는 것이다. 누구나 작가가 될 수 있고, 아무나 글을 쓸 수 있다. 글을 쓰고 내 책을 만들면 작가 되는 것이다. 글을 쓰는 자는 모두 작가다.

글의 분야는 시, 소설, 수필, 경제, 경영, 인문서, 수필, 동화 등 수두룩하다. 어떤 분야의 글을 쓰느냐가 장르를 결정하게 된다. 자신있는 분야 선택하고 글을 쓰고 모으고 책을 만드는 것이다.

글은 무조건 쓰는 거다. 글을 쓰고, 글을 모으면 책의 재료가 되고, 이를 모아서 내용을 구성하고 출판하면 책이 된다. 그냥 쓰면 된다. 글을 쓰면 글이 모이고 쌓인다. 쓰고 싶을 때 쓰면 된다. 한 줄도 좋고 한 장도 좋다. 무조건 쓴다. 일기 쓰듯이 매일 쓰면 좋고 가끔 써도 좋다. 나를 위한 글을 쓴다. 이게 습관이 될 때까지 쓰면 작가 되는 지름길이다. 글쓰기 왕도는 그냥 매일 쓰는 것이다. 현재 유명한 작가들이 공통으로 하는 글쓰기의 기본 명언이 있다. "일단 쓰세요"라고 말한다.

일상의 어떤 일을 글로 쓴다. 생활에서의 주제를 정할 수도 있고, 일상의 루틴을 작성해도 좋다. 글이 문장이 되고, 문장이 문단이 되고, 문단이 모여 한 장의 원고가 되고, 이 원고가 모여야 책이 된다는 사실을 기억해야 한다.

안중근 의사(義士)의 "一日不讀書 口中生荊棘(일일불독서 구중생형극) 하루라도 글을 읽지 않으면 입안에 가시가 돋는다."라는 명언을 남겼다. 독서의 중요성이다. 독서는 생각을 도와주는 보약이며, 지혜를 터득하는 보물단지다. 책을 읽으면 공부가 된다. 좋은 문구는 베껴 쓰거나 옮겨쓴다. 글감을 모아두면 내 책의 재료다.

"모방은 창조의 어머니"라고 한다.

일단 쓰는 글쓰기를 강조하며 바꿔본다. '하루라도 글 쓰지 않으면 손가락에 관절염 생긴다.'라고 고쳐쓰기 해 본다. 스스로 창의적인 아이디어에 만족할 것이다. 글은 이렇게 바꿔쓰기 한번 시도해 본다.

글쓰기는 모방이다. 모방하는 방법도 간단하다. 좋은 글을 읽고 기록한다. 베껴 쓰는 것이다. 글을 읽으며 바꾸는 것이다. 단어나 문장을 바꿔본다. 이런 습관을 들이면 문장 바꾸는 게 재미를 느낀다. 재미있는 글쓰기는 힘들지 않다. 아이디어가 술술 나오게 된다. 아이디어가 생기지 않으면 쉬면 된다. 산책하고 여행하며 즐기면 된다. 휴식하면 머리가 맑아진다. 휴식은 창조의 원동력이다.

밤하늘 쳐다본 적 있는가?

멍 때리자. 하늘 멍, 구름 멍, 달 멍, 별 멍하면 추억이 새록새록 기억난다. 불 멍, 넋 놓고 물 구경, 산 멍 등…. 멍 때리는 행동은 휴식이요 좋은 경험이 된다. 잡념이 사라지는 시간이 된다.

글쓰기는 집념이다. 일단 쓰고 일기처럼 매일 쓰면 글감이 많아진다. 간단하게 쓴 글, 생각하고 쓴 글, 베껴 쓴 글 다 좋다. 좋은 글을 보고 베껴 쓰고 바꿔쓰다 보면 글감이 늘어나게 된다. 많은 글감은 나중에 내 책 만들기가 쉬워진다. 글의 재료는 책 만드는 보물이다.

'구슬이 서 말이라도 꿰어야 보배다'라는 속담 의미와 같다. 글은 구슬이요, 꿴다는 것은 책을 만든다는 의미다. 글의 재료가 많이 있어야 책을 만들 수 있다는 의미다.

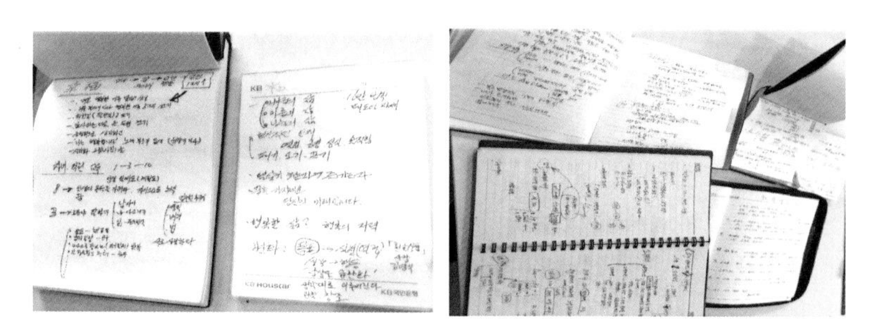

작가의 삶은 글쓰기 일상이다.

어떤 분야의 글을 쓰고 싶은지 생각하면 된다. 쓰고 싶은 분야를 자신이 잘 알고 있는 취미나 특기, 전문분야 직업의 분야를 제일 쉽게 쓸 수 있다. 나도 작가라는 꿈을 꾸면 시작이다.

책을 읽고, 글을 쓰는 삶이 성장하는 삶이다. 생각하며 사는 것이다. 질문하고 싶은 내용을 찾아보는 것이 독서다. 글을 읽는 가장 좋은 방법은 책을 많이 읽는 것이다. 책을 읽고 나만의 글을 쓰는 일이 미래 내 꿈을 이루는 것이다.

내 책을 만들려면 글이 있어야 한다. 책을 읽고 아이디어를 얻고 이를 모방하는 게 내 책 만들기다. 생각이 떠오르고 새롭게 창조하려는 마음이 생긴다. 기존의 내용과 내 생각을 조합해서 새롭게 창조하면 내 책이 된다.

작가 되는 길 너무나 쉽다.

작가는 글 쓰는 영역에 따라 소설가, 수필가, 드라마 작가, 희곡 작가, 극작가, 시나리오 작가, 소설가, 만화 작가, 애니메이션 작가, 시인 등 다양하다. 내가 작가 되기 위해 글을 쓰는 게 아니다.

현재 하는 업에서 추가로 하는 일이다. 긍정적인 마음과 생각을 가지고 지금부터 최선을 다하는 거다. 하루의 어떤 일을 한 줄 쓰기로 시작했다. 매일 한 줄 쓰기는 어느 날 한 권의 글이 된다. 이를 정리하면, 한 권의 내 책이 만들어지는 경험을 했다.

이제는 글 쓰는 게 일상이다. 습관이 되니 어렵지 않다. 지하철이나 버스 타고 출·퇴근하며 무조건 쓴다. 유명한 작가도 처음엔 아무 글 대잔치이다. 일상에서 글을 쓰고 내 책 만들어 작가 되는 방법은 하나다. 책을 읽고 글을 쓰는 일이다.

책 만드는 방법을 잘 이해하고 따라 한다면, 작가 될 것이라고 확신한다.

글감이 있어야 책을 만든다

글 어떻게 모으지?

기본적인 방법은 내가 직접 써서 모은다. 내가 직접 작성한 글이 모이면 글 데이터가 쌓이는 것이다. 메모한 글, 직접 작성한 글, 고쳐쓰기 한 글, 베껴 쓰기 위한 글을 컴퓨터에 모은다. 글 쓰는 것은 능력이다.

글 모으는 것은 대단한 능력이다.

신문이나 기사의 내용을 참고한다. 최근 인터넷 기사를 읽는 게 아니라 간단하게 보는 사람이 많이 있다. 이런 글을 모으면 글 재산이 된다. 나중에 주제를 선택하여 바꿔쓰거나 인용하면 된다.

신문의 내용 중 좋은 글은 스크랩해 둔다. 잡지, 도서, 인터넷 기사는 편집된 좋은 글이 많다. 이 글을 모아서 내가 필요한 주제를 잡고, 베껴 쓰고 바꿔쓰며, 책 쓸 때 인용하면 된다. 누군가는 블로그나 브런치에 작성해 둔다. 이런 방법은 아주 좋은 방법이다.

핸드폰에도 글을 작성하는 앱이 많다. 펜과 종이 대신에 순식간에 기록하는 앱이다. 언제 어디에서든지 글을 모아두면 글감 재료가 쌓이고, 이는 내 책의 주제이고 보물이 된다.

글 DATA 어떻게 모을까?

글은 모으면 재산처럼 글 창고에 쌓인다. 마치 눈덩이를 굴릴 때 생기는 이치이다. 글 재료가 모이면 책이 된다. 내 글이 없으면 내 책은 없다.

글 DATA 모으는 방법을 정리한다.

하나, 직접 쓴다.

둘, 다른 사람의 글을 모은다.

셋, 신문이나 잡지를 스크랩한다.

넷, 강의나 유튜브 듣고 적는다.

다섯, 직접 대면하여 묻고 인터뷰한다.

여섯, 독서 한다. 책 읽기는 글쓰기다.

한 번 더 강조한다. 글은 매일 쓴다. 중요한 일이다. 그냥 쓴다. 일상을 쓰고 싶을 때 쓴다. 생각날 때마다 기록한다. 무조건 쓴다. 창작은 모방이다. 글도 창작이자 모방이다. 글감이 컴퓨터에 쌓인다. 돈을 벌고 돈을 모으면 재산이 쌓이고 부가 형성된다.

글을 쓰고 글을 모으고 글 데이터가 쌓이면, 원고가 되고, 나중에 정리하면 내 책이 되는 것이다.

2. 내 책 만들기 비법이다

내 책 만들기의 과정과 사례에 대한 비법이다. 글쓰기, 글 모으기, 책 만들기의 과정, 내 책 만드는 사례와 방법에 관한 내용이다. 그동안 내 책 만드는 기초적인 내용을 살펴본다.

글쓰기 방법
글 모으기 방법
원고 쓰기 방법
원고 편집하기 방법
글 편집하기 방법
차례 만들기 방법
내 책 만드는 방법과 사례
내 책 만드는 과정의 구체적인 사례이다.

내 책을 만드는 과정은 간단하게 살펴본다.
"나는 글을 쓰는 작가다"라는 마음으로 글을 무조건 쓴다. 글감의 DATA가 모이면 책 만들기 기본은 완성된 것이다. 주제별 글감을 분류하고, 만들고자 하는 책 주제를 잡는다. 포괄적이며 추상적인 주제는 다시 소주제로 분류한다.

예를 들면 교육의 큰 주제에 수업, 학생 생활지도, 시험, 등으로 구분하는 방법이다. 이를 토대로 소제목을 잡고 차례를 만들고 글감을 구분하여 정리한다. 목차를 작성하는 방법이다. 이는 수시로 수정하면 된다. 글의 주제별로 글을 수정하고 원고를 편집한다.

원고 내용에 부족한 부분이나 사례를 작성한다. 또한 인용하기도 좋은 방법이다. 내용을 보충하고 원고를 수정한다. 원고는 고쳐 쓰고 수정하고 맘에 들 대가지 수정하고 마무리한다. 마무리에는 머리말, 에필로그 만들기, 추천사 만들기, 제목을 선정하면 내 책이 만들어진다. 일반적인 책의 차례 구성요소 내용을 참고하여 작성한다.

[글 쓰고 내 책 만들기 정석]의 차례 구성요소이다.

차 례

들어가기 글쓰기는 나를 찾는 **거울**이다.

1부
행복한 학교생활 이야기

2부
교사에게 알려 주는 **글쓰기 정석**

3부
내 책 만들기 비법

4부
글 쓰는 교사 **미래가 보인다**

5부
Askup 활용 글쓰기 TIP

6부
부록
참고 문헌

맺는말 글쓰면 **미래가** 보인다

주제별 글 분리하기

글을 주제별로 분류해야 가치가 있다.

내 컴퓨터, 핸드폰, 메모장, 브런치, 종이에 작성한 글을 모은다. 모인 글을 정기적으로 분류하여 작업한다. 중요한 일을 미루다 보면 분류하는 데 시간이 오래 걸린다.

어떻게 분류할까?

한곳에 모은다. 저자는 컴퓨터에 저장해둔다. 1주일의 가장 좋은 날이 토요일이나 휴일이다. 1주일간 작성된 글을 분류하여 구체적으로 구별해서 컴퓨터 폴더에 저장한다. 작성한 글과 베껴 쓰기와 고쳐 쓰기로 한 글감의 재료가 다 모여있다. 이 글감 재료들을 책 만들고자 하는 제목을 생각하여 내용을 분류한다.

미리 분류하면서 글쓰기 했다면 금상첨화이다.

준비된 글을 주제별로 구분하여 나열하기는 쉬운 일이다. 글 모으기가 어렵지 모인 글을 분류하는 건 누워서 떡 먹기다. 아니 떡 먹고 누워있기다. 분류한 글감은 다시 정리한다. 내용별로 적절하게 순서를 정해 구분한다. 분류하는 방법은 각자 정한 기준으로 나누어 보관한다.

글감의 재료는 경제, 정치, 일상생활 등으로 구분하여 파일을 나누어 분류한다.

예를 들면 교육과 관련하여 나눈다. 다시 유·초·중·고·대학으로 분류한다. 생각대로 구분하여 분류한다. 일기나, 메모한 글은 컴퓨터에 정리하여 기록한다. 저자의 과거 작업 사례를 간단하게 제시한다.

교육 관련하여 만든 글감들을 [교사 편] 해서 컴퓨터 폴더에 구분했다. [교사 편]은 다시, 법규, 담임, 수업, 수석교사로 구분했다.

[수석교사 제도] 도서를 출판한 사례를 가지고 제시한다.

컴퓨터 폴더 정리를 하면 된다. [교사 편] 해서 컴퓨터 폴더에 하위 목록으로 구분한다. 예시 안내이다. 각자 참고하여 자료를 분류한다.

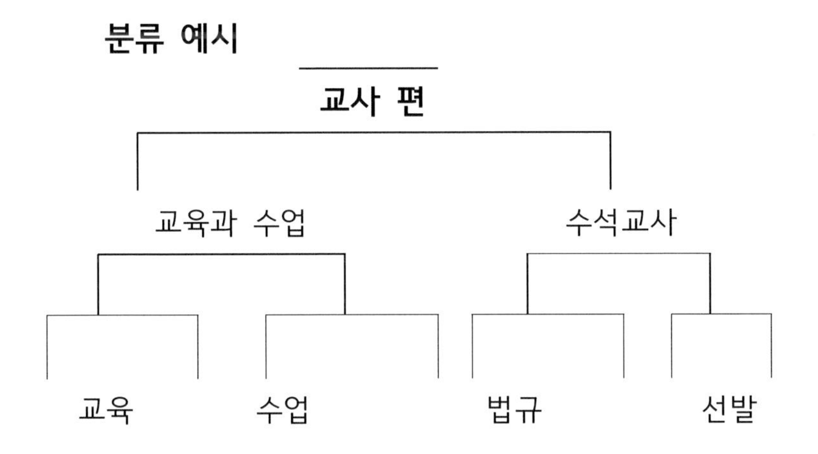

책의 차례를 만들어 보자

내 책 만들기에 필요한 게 주제이다.

'수석교사 제도' 책의 제작 사례를 가지고 간단하게 설명한다.

수석교사 경험 기간이 강산이 변하는 시간이 되었다.

그동안 지내면서 수업 컨설팅, 법규 관련 자료를 많이 나름대로 간단하게 작성해 두었다. 내가 작성된 글 핵심 주제는 한 줄로 말하면 수석교사 관련 자료이다. 책의 주제 즉 제목과 함께 생각하여 만든 게 주제는 [수석교사 제도]이다.

[수석교사 제도] 책 제작 사례를 구체적으로 제시한다.

주제별 분류하기

[주제 만들기] - 수석교사

[수석교사 제도] 책 제작 사례를 구체적으로 제시한다.

글감들은 다시 수석교사 관련하여 수업 자료, 학생 자료, 법규 자료, 지도 자료를 분류했다.

글을 쓴 내용을 분석하니 100개 내외의 글들이 모여있었다. 이를 다시 항목별로 분류하여 나눈 것이다.

각각 자료를 다시 구분해서 자료를 재분류했다.

1부~5부 차례의 구성이다.

1부는 학교 교육과 교육기본법

2부는 대한민국 수석교사 제도

3부는 수석교사 선발과 임용

4부는 미래 수석교사의 희망 A to Z

5부는 [부록] 수석교사 관련 법규

이렇게 구분하고, 다시 글의 내용을 구체적으로 정리했다.

일종의 차례 구성이다.

[차례 만들기]

각각 만들어진 구성에 다시 내용을 세부적으로 나누었다.

컴퓨터 폴더에 '수석교사' 이 폴더 내부에는 다시 '1부-학교 교육과 교육기본법'을 만들어둔다.

1부에 들어갈 관련 내용을 컴퓨터 한글 파일 자료를 모두 담아 둔다.

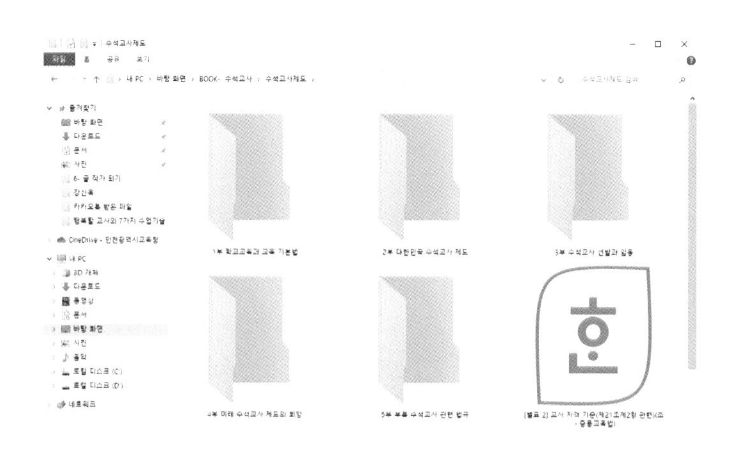

차례의 예시는 다양하다. 차례 만드는 방법은 기존의 책을 참고하여 살펴보는 게 가장 쉽다. 차례 제목의 수는 기준이 따로 없다. 대체로 40~50개 내외의 제목이 많다.

[글감 분류하기]

글감 내용별로 분류하기

내용 분류 사례이다. 책의 차례를 만들고 원고를 차례에 맞게 분류한다.

1부 차례의 세부 내용 예시

학교 교육과 교육기본법

1. 대한민국 교육기본법 1장
   - 교육 목적과 교육이념
   - 모두 아름답게
2. 국가는 의무교육을 한다
   - 헌법 31조
   - 의무교육 나 어떻게
3. 학교는 무엇을 교육하나
   - 교육기본법 학교 교육
   - 교사의 행복이다
4. 교원의 신분보장 어디까지
   - 교원의 신분보장에 대하여
5. 교육기본법의 학습자 역할
   - 교육기본법 학습자 의무
   - 배우고 가르치고
6. 교육의 진정한 이념이다
   - 교육의 목적은 무엇인가
7. 미래교육이 인성교육이다
   - 진정한 공부란 무엇인가
   - 인성교육이 미래교육이다
8. 학교에는 교원을 둔다
   - 보호자는 책임을 진다
   - 한 끼의 정성
9. 초·중등교육법 시행령 36조
   - 학교에는 교원을 둔다
   - 교원의 자격
   - 교직원에겐 임무가 있다
   - 수석교사의 배치

2부~3부 차례의 세부 내용 예시

대한민국 수석교사 제도

1. 수석교사 제도의 의미와 목적
   - 수석교사제도 추진 사항
2. 수석교사제도 법제화되다
   - 교육과학기술부 보도자료
   - 군자의 인생 3락
3. 교육공무원법의 수석교사 자격
   - 수석교사 자격
   - 수석교사의 임용
   - 수석교사의 연구활동비
4. 초·중등교육법의 수석교사 임무
   - 초·중등교육법 제20조
   - 수석교사의 우대

수석교사 선발과 임용

1. 수석교사 선발
   - 수석교사 자격은 무엇인가
2. 수석교사 선발은 이렇게 한다
   - 수석교사의 선발 과정이다
   - 수석교사의 선발 절차이다
3. 수석교사 자격연수와 임용
   - 수석교사의 자격연수
   - 수석교사의 임용 절차
4. 수석교사 재임용 어떻게
   - 수석교사의 재심사 기준
5. 우리나라의 수석교사 현황
6. 1교 1수석교사 근무하는가?
7. 수석교사 헌법소원을 하다

4부~5부 차례의 세부 내용 예시

미래 수석교사의 희망 AtoZ

1. 수석교사는 무엇을 하나요?
2. 수석교사의 교수 연구활동 지원
   - 수석교사는 수업을 공개한다
   - 학생 생활지도 멘토링한다
   - 신규교사 수업 멘토링하다.
   - 수석교사는 연구활동한다
   - 교내 교외 연수한다
3. 학교문화 바뀌면 교사가 행복하다
4. 우리나라 교사 자격을 살펴보자
5. 미래 교육의 희망 사항이다
6. 미래 수석교사의 역할

[부록] 수석교사 관련 법규

1. 수석교사 활동 계획서(예시)
2. 수석교사 법규
3. 수석교사 명예 선언문
4. 수석교사 노래

글 수정하고 고쳐쓰기

글은 생각나는 대로 일단 쓰는 게 정석이다. 글을 쓰면서 수정하는 게 아니라 다 쓴 다음에 수정하는 게 쉽다. 글은 후다닥 쓰고, 고쳐쓰기는 시간을 투자하는 거다. 다른 책을 읽으면 틀린 부분이나 중복으로 표현한 글도 눈에 보이듯이 내 글도 마찬가지다.

내 글 스스로 교정하는 방법을 알아본다. 글을 다시 수정하는 작업이다. 꼼꼼하게 정리해 보자. 글은 쓰기도 외롭고 괴로운 일인데, 글을 수정하기는 더욱 힘든 일이다. 글을 수정하거나 고쳐쓰는 방법을 안내한다.

첫째, 한글 프로그램의 맞춤법 검사를 한다.

한글 프로그램에 내장된 '맞춤법 검사·교정'을 통해 수정해 놓는 것이 좋다. 문장 구성 여부 및 기본적인 맞춤법과 오탈자를 반드시 점검한다. 맞춤법, 문단의 띄어쓰기가 틀린 것을 정정한다.

[한글 프로그램] - [도구] - [맞춤법(S)] 검사하고, [시작(D)]클릭하여 맞춤법을 점검하고 수정한다.

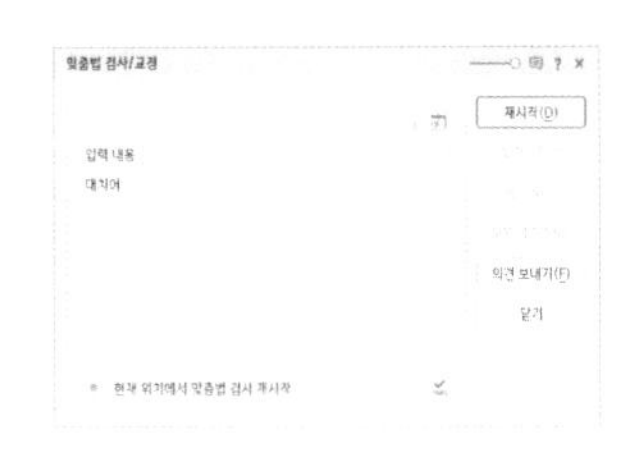

둘째, 원고를 프린트해서 보고 수정한다.

원고 전체를 출력해서 살펴본다.

컴퓨터 화면에선 보이지 않던 게 중복 내용이나. 꼼꼼히 봐도 오탈자 등이 보이게 된다. 따옴표 및 쉼표 등 문장부호를 꼼꼼히 살펴본다. 문단 구성이 제대로 잘 되었는지 확인하기 쉽다. 간단하고 명확한 문장을 사용하여 바꿔쓰고 수정한다.

셋째, 읽어보면서 수정한다.

소리 내어 글을 소리 내어 읽다 보면 귀에 거슬리는 부분이 있다. 다시 읽어보면 독자의 느낌으로 고치면 된다. 명료하고 간결한 표현을 사용하는 것이 중요하다. 문장 표현을 검토하고 문장을 짧게 다듬는 일이다.

넷째, 전문작가에게 교정을 도움을 받는 방법도 있다.

글이 생명력을 가지려면 교정·교열·윤문은 중요하다.

전문작가에게 비용을 주고 검토할 수도 있다. 띄어쓰기나 맞춤법, 문맥상 오류가 있는 내용을 바로잡는 것, 문장을 윤이 나게 다듬는 일이다. 전문가는 독자의 흥미를 유지하기 위해서는 자연스럽고 명료한 문장으로 새롭게 바로잡는 일을 한다.

원고 인용하고 마무리하기

원고 수정하는 일은 고쳐 쓰기다.

주제에 적합한가를 살펴 문장 성분의 호응, 접속어의 쓰임 등을 살펴본다. 고쳐쓰기는 제일 중요하다. 문장 성분의 호응, 접속어의 쓰임 등을 살펴본다. 원고는 고쳐쓰기 횟수만큼 글의 내용이 좋아진다.

헤밍웨이는 "모든 초고는 쓰레기다."라는 말을 남겼다. "글도 그렇고, 인생도 그렇다. 모든 것은 수십, 수백 번 고쳐 쓰는 것이다."라고 했다. "<노인과 바다>를 400번 이상 퇴고했다"라고 한다. 존 어빙은 "내 인생의 절반은 고쳐 쓰는 작업을 위해 존재한다."라고 했다.

원고에 추가하는 내용은 인용이다.

인용은 다른 사람의 정보이므로 출처를 밝혀야 한다. 본문 속에 "인용할 문장"처럼 큰따옴표를 사용하는 방법이다.

인용은 일반적으로 글 속에 남의 말이나 글을 끌어와 쓰는 것이다. 글쓰기는 적절하게 요약, 바꿔쓰기를 선택하여 사용할 필요가 있다. 단행본과 정기 간행물과 참고문헌으로 표기하는 경우엔 순서, 방법 그리고 내용에 있어서 약간의 차이가 있다.

머리말 쓰기

머리말 글은 책의 시작 부분에 들어가는 글이다.

서문, 또는 추천사로 구성되기도 한다. 프롤로그(prologue)로 책의 첫 부분에 내용을 알리는 시작 역할이다.

머리말 만들기 사례를 간단하게 제시한다.

머리말 만들기는 저자의 글을 요약한 소개 내용이다. 책 소개의 핵심을 적은 글이다. 독자는 책을 구매할 때 머리말을 읽고 구매할 수 있다. 일종의 홍보 글이나 마찬가지이다. 책 내용 간단하게 핵심을 소개하고 안내한 글이다.

머리말 작성하는 방법의 예시이다.

작성 방법은 다른 책의 머리말을 보고 베껴 쓴다.

중간에 문장을 바꾸고 내 생각을 추가하고, 책의 중요한 내용을 요약하면서 작성한다. 머리말은 내 책을 소개하는 홍보 글이다. 최대한 눈길을 끌 수 있는 핵심을 안내하는 문구로 작성한다. 책을 보고자 하는 마음이 들도록 독자의 마음을 이끄는 단어를 많이 사용하게 된다.

도서 [수석교사 제도] 책의 머리말 예시이다.

머리말

우리나라는 2012년 수석교사 제도가 법제화되었다.
수업 전문성이 뛰어난 교사들이 관리직으로 전환하지 않고도 일정한 대우를 받으면서 교단에서 자긍심을 갖고 교직 생활을 지속할 수 있도록 하려는 취지에서 도입되었다. 수석교사 제도의 개념과 목적, 법제화 현황과 초 · 중등교육법의 수석교사 제도, 미래 교육의 방향, 수석교사의 역할과 수업 전문성에 관한 내용을 다루고 있는 수업 교양서이다.
수석교사는 수업과 신규교사 · 저 경력 교사 수업 컨설팅이 주 업무이고, 교수 · 연구 활동, 연수 학습자료 등을 제공하는 역할을 한다.
수석교사는 수업평론가, 수업지원자의 역할과 방향을 생각해야 할 시기이다.

< 중략 >

우리나라의 수석교사 제도 탄생 배경과 교육기본법, 초 · 중등교육법의 수석교사 제도와 법규와 사례를 안내한 책이다.
2008년부터 수석교사 시범운영에 참가하셨던 분들의 노고에 진심으로 감사드립니다. 퇴직하신 수석선생님들께 늘 건강하시고 행복하시기를 빕니다.
미래 교육 희망을 바라며, 아름답고 행복한 학교에서 학생을 가르치는 선생님께 이 책을 드립니다.

에필로그(epilogue) 쓰기

머리말은 홍보 글이라면, 에필로그는 저자의 후기이다.

독자에게 알려주지 못한 내용을 충족시켜주기 위해 덧붙여진 작가의 이야기 소감문이다.

에필로그(epilogue)는 저자의 글을 정리하는 내용 글이며 마무리를 잘 지어야 한다. 마무리 글은 간단하게 책의 내용을 요약해준다. 이 책을 읽고 핵심 내용을 제시한다. 작가의 감정이나 느낌을 작성하고 원고가 다른 사람들에게 기대하는 바를 간단하게 적는다. 책을 쓰면서 도움을 주신 가족과 책 만들기에 협조해주신 분들에게 감사의 문구를 작성한다.

독자들에게 요점을 알리고 감사 인사를 한다.

추천사 요청하기

추천사는 책 내용과 관계된 주변 인물을 중심으로 작성한다. 해당 분야의 유명하신 교수, 작가, 유명인, 기관장들에게 받는다. 그런 분들의 추천은 신뢰와 믿음을 준다. 유명하지는 않더라도 추천사를 요청하고 받아 작성하면 된다.

추천사는 선택이다. 책을 만들면서 그동안 고마운 분들에게 요청하면 대부분 작성해 준다.

원고를 PDF로 메일이나 카톡으로 보내고 책 내용에 대한 후기나 느낌과 소감을 요청한다. 내 책의 자랑스러움과 부족함을 알고 유명인이나 지인들에게 책을 알리는 것이다.

추천사가 없는 책도 많다. 추천사 없는 책은 안타깝게도 주변에서 피드백 없이 책을 낸 것이다. 저자가 반드시 추천사를 받아야 하는 것은 아니다. 처음 책을 내는 경우엔 추천사를 받도록 하면 격려와 지지가 되고, 이는 더 나은 작가로의 출발점이다. 추천해 주신 분들에겐 책이 출판되면 직접 찾아가거나 우편으로 발송하여 감사함을 전한다.

3. 책 만들기의 실제

누구나 책을 출판하는 시대이다.

내 책 만들기 과정을 살펴본다.

처음 출판하려는 사람이라면 책을 어떻게 만드는지 참 궁금할 것이다. 책을 만드는 과정이 출판하는 과정이다. 출판은 저자가 작성한 원고를 책으로 발행하는 것이다. 출판물이 책이고, 출판하는 회사가 출판사이다.

출판사에서 책을 만들고 서점에서 판매한다.

요즈음 책을 내고자 하는 저자가 늘어나면서 출판의 방법이 매우 다양해졌다. 책 출판 방법에는 출판하는 방식에 따라 여러 가지가 있다.

일반적인 출판 세 가지 방법이다.

첫째, 출판사를 통한 출판 방법

둘째, 독립 출판(자비 출판) 하는 방법

셋째, 무료로 출판하는 방법이 있다.

출판과정의 이해

내 책을 만들어 출판하려면 당연히 책의 원고가 준비되어야 한다. 글을 쓰고 책을 만든 후 독자들이 찾아볼 수 있도록 하는 과정이 출판이다.

출판은 여러 단계의 과정을 거친다.

저자의 글쓰기 → 저자의 출판사 출판 요청
→ 출판사와 계약 → 최종 원고 제출 탈고 하기
→ 출판사의 편집 → 인쇄 및 유통, 마케팅 과정이다.

저자의 원고가 인쇄되어 책이 나오는 과정이다.

원고를 작성하면 그 원고는 편집과정을 거친다. 편집은 기본적으로 교정과 교열 과정을 거치게 됩니다. 맞춤법에 맞게 글자를 고치고 내용의 완성도를 높이는 과정이다.

표지와 본문 내용을 모두 디자인하면 그다음은 인쇄과정을 거친다. 인쇄 후 만들어진 책은 서점에서 판매하게 된다. 출판과정은 원고에서 책이 완성되기까지의 과정이다. 책을 만들고 유통하는 전 과정을 말한다.

출판 단계별로 걸리는 시간과 주변에서 수고하는 전문가들의 노력은 상상하면 된다. 저자의 글이 출판되어 책으로 완성되는 순간 새 책이 탄생하는 것이다.

출판에 관한 세부적인 내용은 한국출판문화산업진흥원에서 진행하는 <출판아카데미> 교육과정을 참고하면 자세한 내용을 확인할 수 있다.
https://www.kpipa.or.kr

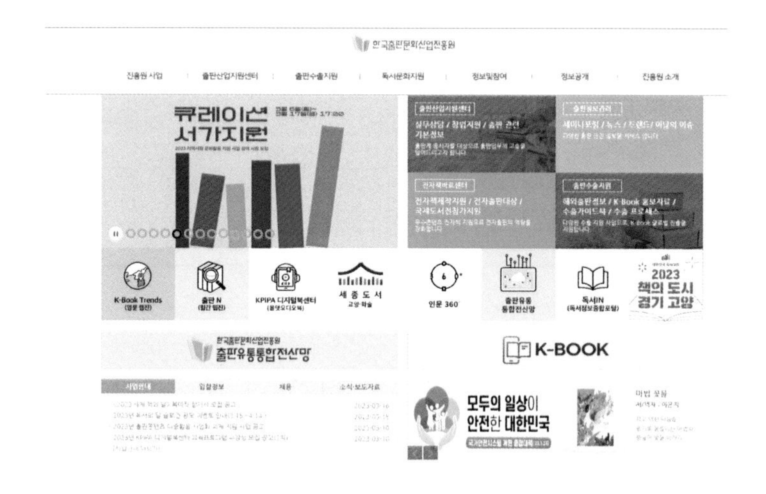

책 출판하는 방법 이해하기

책 출판하는 방법은 다양하다.

누구나 책을 출판하기는 쉽다. 내 책을 출판하려는 사람들이 점점 늘고 있다.

가. 출판사에서 출판하는 기획출판

일반출판사 출판은 저자의 글이 출판사에 선정되고 계약하면 인세를 받고 책으로 출판되는 과정이다. 대형출판사(중소형출판사) 모두 원고가 선정되어 출판하는 방식을 기획출판이라 한다.

원고가 완성되기 전·후에 출판사에 제안하는 방법이다. 일부 작가는 출판사로부터 글을 써 달라고 제안을 받을 수 있다. 유명한 작가는 이렇게 글을 쓴다. 대형출판사는 기획 출판(출판사를 통한 출판)을 한다.

저자가 올린 블로그에 글을 보고 출판사로부터 연락받아 계약하게 되는 일도 있다. 출판사가 먼저 제안하면 금상첨화이다. 대부분 저자가 원고를 쓰고 출판사에 원고를 제출하여 요청하는 방식이다.

저자의 오래된 출판 경험이다. 처음엔 출판사에서 책의 원고를 써달라고 대형출판사에서 요청이 왔다. 중고등학교의 참고도서 및 문제집이었다. 개정 교육과정 시기에, 문제 만들어 원고 작성하고, 원고료를 받았다. 교과 내용의 시험문제 만들어 원고료를 받으니, 무척 뿌듯하고 감사했고 좋은 경험이었다.

컴퓨터가 보급되면서 학습자료로 UCC 제작 및 동영상 편집이 대세인 시기의 경험이다. 동영상 연구자료 만들던 시기에 참고 도서가 거의 없었다. 동영상 편집 프로그램을 접하고 만들면서 책을 만들어 원고를 작성하고 출판하게 되었다. 이때는 저자가 일정 비용을 부담하고 출판사에서 출판하여 완판되었다. 도서의 이름은 [캠콜]이며 지금은 절판이다.

프로그램은 업그레이드되어 지금도 동영상 유튜브 편집하는 사람들이 많이 사용하는 프로그램이 되었다. 프로그램 이름은 '캠타시아 스튜디오'이다. 또한 새로운 플래시 저작도구 프로그램을 번역하면서 해석하고, 사용법 원고 만들어 출판사에 의뢰하여 기획 출판했다. 이때는 교사들의 저작도구 개념과 활용 방법 책이다. 이 책이 [렉토라]이다.

이후로 개인 사정으로 인하여 잠시 글을 쓰는 일은 멈추고 메모만 하고 수업과 연구에만 집중하며 지냈다. 이후로 수업 관련 자료를 많이 만들고 지내면서 수석교사가 되었다. 지금 누구나 저자되는 경험을 모두에게 알리고자 이 원고를 작성한다. 글만 있으면 저자 되는 길은 무궁무진하다.

기획출판 요령이다. 저자가 쓴 원고(완성)를 출판사의 사이트에서 메일을 통해 출판을 요청하는 경우이다. 또는 서점의 책 뒷면 판권 부분을 보면 보통 출판사 이메일 주소가 있다. 메일 주소에 최대한 홍보하는 기획안을 준비해서 메일을 보내면 된다. 저자의 적극적인 출판 요청 방법이다. 출판사에 투고하면 선정 여부는 출판사에 달려있다.

좋은 원고는 즉시 채택되는 확률이 높다고 할 수 있다. 원고를 제출하면 출판사에서 검토하여 계약이 이루어진다. 다만 좋은 원고라 하더라도 누구나 다 계약이 이루어지는 것이 아니다. 어떤 경우에는 즉시 제안받기도 하고 거절도 받는다. 메일 답장이 1주일 이내 없으면 거절로 보는 게 타당하다.

저자도 출판사에 한 두 번 요청했을까?

"독립출판 할까?"

출판 요청 메일을 많이 보냈지만 수십 번 거절을 받고서 실망한 적도 많다. 몇 번 생각했다. 그래도 원고는 내 컴퓨터 창고에 차곡차곡 쌓이고 있었다.

어느 날 인터넷 검색하다가 무료출판 사이트를 알게 되어 지금까지 여러 권의 책을 무료로 출판하게 되었다. 무료출판 사이트는 '부크크'이다. 이외에도 많이 있는데 저자는 부크크 사이트에서 많은 도서를 출판했다.

교사의 경험과 느낌을 작성하고 여러 권의 책을 만들어 출판하고 독자에게 선정되기를 기다리고 있다.

기획출판은 누구나 다 원한다. 출판사가 필요한 비용을 모두 부담하고, 저자는 인세를 받는 형태로 진행되는 책을 출판하는 방식이므로 저자에겐 너무 좋다. 출판사 입장은 좋은 원고만 선정하려고 한다. 글의 선정 여부는 원고의 내용에 따라 다 다르다. 출판사에 원고를 제출하여 채택되는 성공 가능성이 1% 정도라고 한다. 인세도 10% 이내다. 초보 저자의 경우 5~8% 정도로 산정되는 경우가 많다고 한다.

기획출판은 출판사의 수익과 관계되기 때문에 원고 선정에 매우 신중하다. 출판사업은 자선사업이 아니다. 수익사업이다. 원고 중에 좋은 것을 선별하여 출판하는 게 당연하다.

저자의 입장은 제출한 원고가 선정되길 바라지만 출판사 입장은 수익을 내는 사업이다. 책을 인쇄하여 출판하면 사업성이 있어야 하는 것은 당연하다. 출판사는 판매가 가능한 원고를 선정하는 것이다.

출판사도 사업이고 원고에 투자하는 것이므로 높은 수준의 원고를 요구할 수밖에 없다. 기획출판은 작가가 원하는 방향의 원고가 일부는 달라질 수도 있다. 기획출판은 원고를 투고해야 선정될 수 있다. 일단 투고해봐야 한다.

저자도 기획출판 여러 차례 경험으로 이야기하는 게 조심스럽다. 자세한 내용은 잘 모른다. 이 글을 읽는 독자에게 감사할 따름이다.

기획출판(출판사출판+자비부담)에 대하여

일부 출판사의 경우에는 저자와 출판사의 비용을 반반씩 투자하여 출판하는 경우가 있다.

출판에 대한 합의 과정을 거치게 된다. 전화를 주거나, 대면으로 진행하고 서로 적절하게 계약하는 경우다. 출판 비용 전액을 출판사에서 출판하면 비용이 부담되니까 저자에게 일정 금액을 부담하자고 제안하는 경우다.

출판 비용 일부는 작가가, 일부는 출판사가 부담하고 인세를 지급하는 구조다. 반기획 출판의 경우 비용을 적절하게 분담하기에 합리적으로 보일 수 있다. 보통 기획출판보다는 인세가 높게 책정된다. 원고의 내용에 자신이 있고 판매 수량에 어느 정도 자신이 있으면 이렇게 해도 좋다. 책값에 대한 인세를 많이 챙길 수도 있다. 이런 경우가 증가추세다.

출판사와 계약서 작성하고 최종 원고를 전달한다. 최종 원고 전달(탈고)하면, 편집 및 검토를 거쳐 인쇄 및 유통은 출판사가 담당한다. 책이 인쇄되면 전국 서점에 책들이 유통된다. 이 과정은 모두 출판사에서 진행한다.

저자는 책이 잘 홍보되어 독자의 선택을 기다리게 된다. 저자도 다양한 방법으로 홍보하면 상호 간 이익이다.

기획출판이 안 된다고 실망하지 말고 출판사와 간접 출판해도 된다. 출판 비용을 일정 금액 부담하더라도 출판하여 저자 되는 경험을 하시기 바란다. 반반 출판은 쉽게 출판을 할 수 있는 장점이 있다. 여러 군데 비교해서 잘 따져보고 결정한다. 원고가 완성되었으면 출판하는 게 저자 되는 길이다. 많이 팔릴 것이라는 생각이 들면 자비출판을 선택하는 방법도 있다. 내 이름으로 된 내 책을 만들어 보자.

내 책 어떻게 만들까?

출판사와 협의하여 내 책을 출판하길 권장한다. 왜냐하면 출판은 원고가 작성되기까지의 수고와 고생의 대가를 보상받는 일을 생각하면 간단하다. 저자 되는 길이 쉽지 않다.

내 원고는 기다린다고 "출판해 드립니다" 전화가 오는 게 아니다. 내 원고는 내가 빛을 발휘하도록 방법을 생각해야 한다.

기획출판, 반반출판, 독립출판, 무료출판이든 내 책 만들어 저자 되는 경험을 하길 소망한다.

나. 독립출판

독립출판에 대해 알아본다.

독립출판은 개인이 출판하는 자비출판이다. 자비출판은 독립출판을 의미한다. 개인이 돈을 들여 출판하는 방법이다. 자비출판은 저자가 책에 사용되는 비용을 전액 지불하고, 개인적으로 소량을 출판하는 형태이다.

일종의 저자 출판 형태이지만 제작비, 제작 과정 업무, 서점에 유통을 작가 스스로 한다. 출판은 외주업체 즉 내 책을 출판해주는 독립출판사를 활용한다. 자비 출판사가 제작과 유통을 대행하는 때도 있다.

'자비출판'이라고 검색하면 자비 출판사들을 찾기 쉽다. 출판 비용은 책의 전체 페이지 기준으로 인쇄 부수와 종이의 재질에 따라 각각 다르다. 인터넷 검색 [독립출판사] 하면 많이 있다. 전화하거나 주소 클릭하여 소통하며 궁금증을 해결한다. 원하는 출판사에 접속하여 저자 정보를 제공하면 소통할 수 있다.

독립출판사와 저자가 서로 협의하여 책을 만든다. 독립출판은 저자가 출판 비용 전액 또는 일부를 부담하는 것이다. 책 만드는데 필요한 원고 페이지와 수량을 독립출판사와 협의하여 독립출판을 할 수 있다.

독립출판으로 작게 시작했지만, 나중엔 인기도서 될 수도 있다. 독립출판은 저자가 스스로 출판사를 신고하여 출판하는 때도 있다. 저자의 원고를 출판해주는 독립출판사도 주변에 찾아보면 많이 있으니 선택하여 출판하면 된다. 요즈음엔 대행 출판도 해주는 경우도 많아지고 있어 내 책 출판은 어려운 시대는 아니다.

독립출판은 내 책을 소장용으로 책을 제작하면 너무 쉽게 만들 수 있다. 유통 방식도 작가가 선택할 수 있다. 서점(온라인 포함)에 유통할지, 도서 총판을 통한 전국 서점에 판매할지 원하는 대로 선택할 수 있다. 내 책을 판매하려면 영업과 마케팅까지 저자가 하기에 어려운 분야이다.

내 책을 저자가 비용을 주고 출판하므로 높은 인세를 보장하지만 권장하지 않는다. 저자의 수고가 많기 때문이다. 내 책을 적정량(기준 없음) 소량 제작하여 저자가 직접판매 또는 우편 판매에는 아주 좋은 방법이다.

4. 내 책 만들기 무료출판 비법이다

내 책 무료 출판하기 방법을 다음과 같다. 무료출판에 관한 사례를 살펴본다. 내 원고만 있다면 누구든지 쉽게 책을 만들 수 있다. 각종 보고서로 된 내용, 여행 수기, 일기, 수필, 개인별 작성해 둔 시가 있다면 작가가 될 수 있다. 내 책을 무료로 출판하려면 최소 원고가 50페이지 이상인 경우에만 출판할 수 있다.

원고를 책으로 출판하고자 하는 작가에겐 언제가 무료로 출판할 수 있다. 장점으로는 작가에게 출간 비용과 재고 부담이 없다. 또한 ISBN(국제 표준 도서번호)을 등록해준다. 유명한 온라인상 서점들과 제휴를 통해 노출될 수 있도록 무료로 등록해준다.

책의 주문과 판매는 책 형태로 만든 파일을 가지고 주문과 동시에 인쇄에 들어가는 구조가 다른 출판 방식과 다르다. 무료로 책을 제작할 수 있는 POD 방식이다.[3)]

독자가 책을 구매하고 책값을 입금하면 확인하고 인쇄한다. 주문한 책은 택배를 통해 독자에게 배달된다. 원고 제출하는 작가에겐 인세 비율이 일반출판사보다 2배 이상 높다. 단지 책 홍보를 저자가 스스로 해야 한다. 고객이 책을 부크크나 온라인 사이트에서 주문하면 출판사에서 인쇄하는 배달해주는 출판방법이다.

---

3) POD 뜻은 “Print-On-Demand Book Publishing” 줄임말

내 책 출판하기 5단계

부크크는 무료로 내 책 만들기를 해주는 플랫폼 사이트다.

부크크 내 책 만들기 과정 [5단계] **요약이다.**

내 책 무료 출판하기 방법

[누구나 글 쓰고 작가 되는 비법] 도서는 글쓰기 요령과 무료로 내 책을 만드는 비법이 제시된 컬러 책이다.

무료로 내 책 만들기 과정을 자세하게 안내한 책이다.

도서 [누구나 글 쓰고 작가 되는 비법]

컬러로 제작되었고, 무료로 내 책 만드는 구체적인 방법이 단계별로 기록이 있으니 참고 바란다.

내 책 만들기 출판 과정이다

부크크 사이트 가입하기 https://www.bookk.co.kr

① [**부크크 플랫폼에 로그인**]한다.

[부크크]는 책을 무료로 만들고 책을 다른 외부 채널(교보문고, 알라딘 등)에도 유통해준다. 작가에겐 인세 비율이 일반출판사보다 높다. 단지 책 구매와 홍보는 저자가 스스로 해야 한다.

내 [책 만들기] 5단계 순서이다.

단계	세부 과정	비고
1단계	도서 형태	컬러, 흑백
2단계	원고 등록	46판, A5, B5, A4
3단계	표지 디자인	무료, 작가 서비스
4단계	가격 정책	페이수에 따라 다름
5단계	최종 확인	책 정보 확인

무료 [내 책 만들기] 이제부터는 따라 하면 된다.

② [부크크]에 회원 가입해야 내 책을 출판할 수 있다. 또한 원고가 준비되어 있어야 내 책을 출판할 수 있다. 종이책과 전자책을 무료로 만들 수 있다.

[종이책 만들기]를 클릭한다. (전자책 만들기도 같은 방법으로 하면 된다)

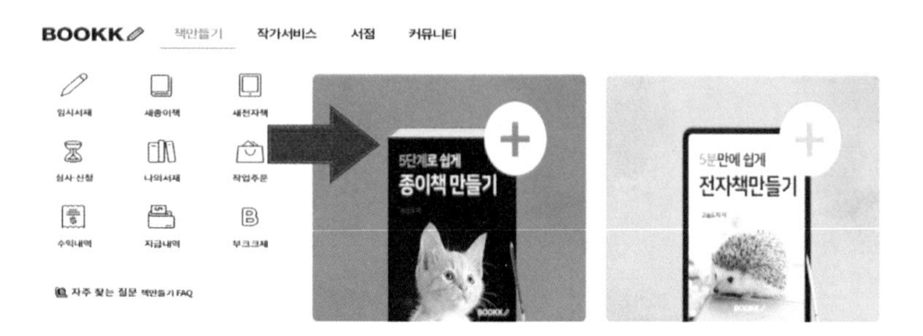

[도서 형태]를 클릭한다.

② [**책 규격**]을 선택한다.

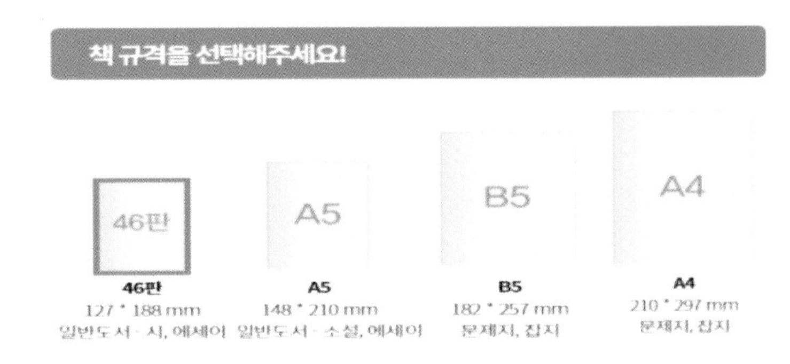

③ [표지 재질]을 선택한다.

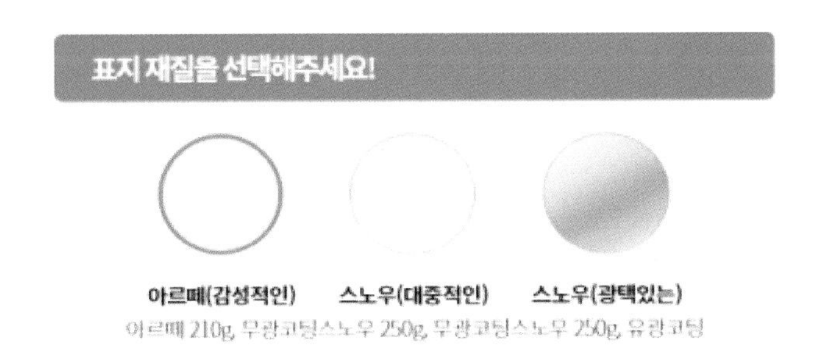

④ [**책날개**]를 선택한다.

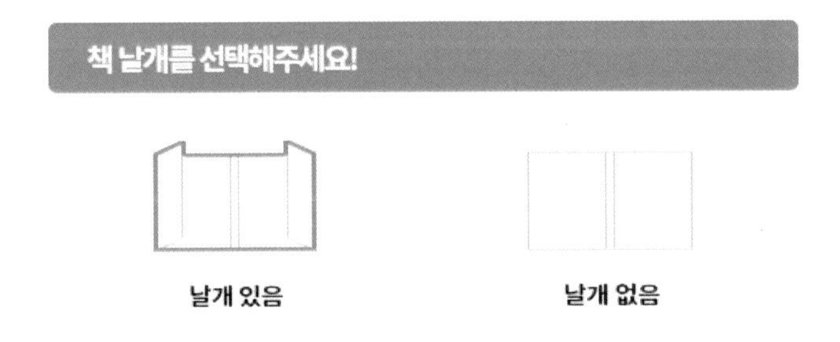

⑤ [**도서 정**보]는 책 만들기 과정 선택한 결과이다. 컬러책 규격에 따라 다르며, [**페이지 수**]는 원고 페이지를 입력한다.

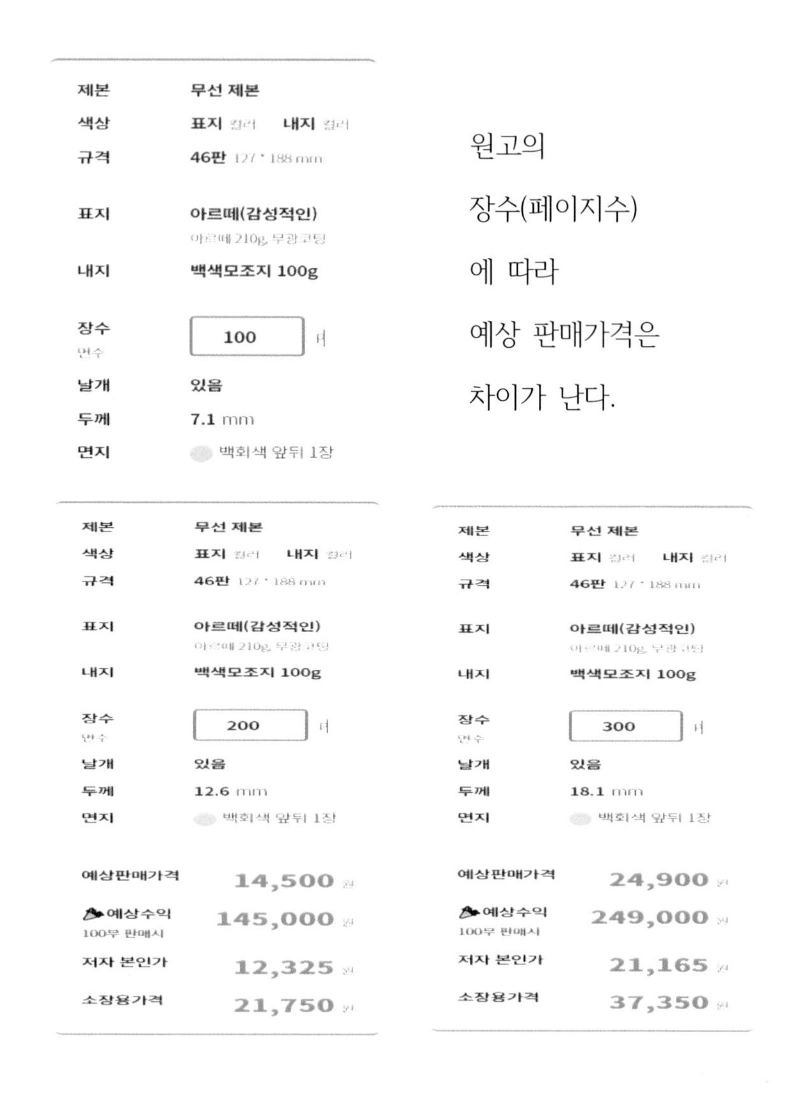

원고의 장수(페이지수)에 따라 예상 판매가격은 차이가 난다.

2단계 - [원고등록] 단계

2단계는 [**원고를 등록하는 단계**]이다.

Step2 원고등록 ⓩ 을 클릭하고 다음을 진행한다.

원고등록 단계 요약

1단계	- 표제 입력하기 - 대표 카테고리 선택 - 저자 이력 입력하기
2단계	- 도서 제작 목적(필수) 선택 - ISBN 입력(필수) 선택
3단계	원고 업로드

표제(제목)와 부제, 대표 카테고리, 도서 여부 선택하고, 저자, 페이지 수 입력하고, 도서 제작 목적을 선택한다.

[도서 제작 목적]

1. ISBN 판매용	부크크 사이트에서 판매할 수 있다. 유통망에 판매할 수 있다. (예를 들면 교보문고, YES24, 알라딘 등)
2. 일반 판매용	[부크크]에서만 판매할 수 있다.
3. 소장용	개인 소장용으로 인쇄할 경우 가능하다.

3단계 - [표지 등록] 단계

을 클릭하고 3단계를 진행한다.

[표지디자인] 방법은 3가지다. 이 중에서 하나를 선택한다.

1. 무료표지 - 부크크 무료표지 사용하는 경우
2. 직접 올리기 - 저자가 직접 디자인한 이미지
3. 구매한 탬플릿 - 부크크에서 비용을 주고 구매한 표지

무료 표지	직접 올리기	구매한 템플릿

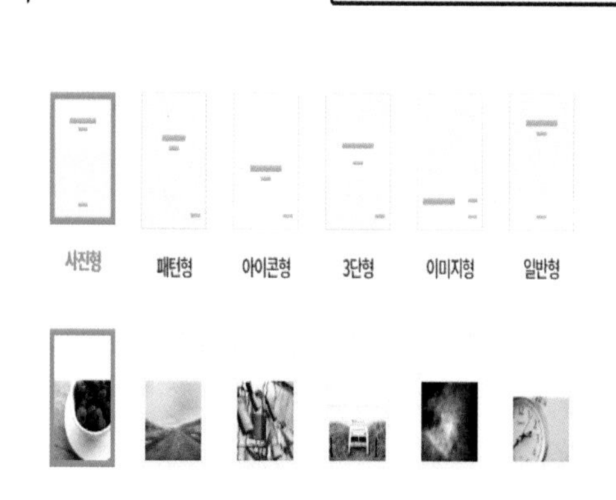

4단계 - [가격정책] 단계

을 클릭하고 4단계를 진행한다.

책의 **[가격 설정]**하고, 인세를 확인할 수 있는 페이지다.

원고의 총 페이지에 따라 자동으로 가격이 책정된다. 정가를 작가가 더하거나 인하할 수 있다.

정가설정

15000 원 권

* 최소가격 **14,500원**입니다.
* 최대 기본정가의 **3배**까지 설정할 수 있습니다.
* 소비자가격은 최소 가격보다 높아야합니다.
* 100원대 단위로 설정해야합니다.

정가인하

○ **네**, 작가 수익을 낮추고 소비자가격을 인하 하겠습니다.

◉ **아니요**, 소비자가격을 인하하지 않겠습니다.

5단계 - [최종 확인] 단계

Step5 최종확인 을 클릭하고 다음 단계를 진행한다.

[최종 확인] 단계이다. 지금까지의 책 만들기 단계별 입력사항을 확인한다. 책 정보의 내용 [책 목차]-[책 요약]-[저자] 소개 사항 입력한다.

책 만들기 마지막 과정이다. 5단계 모두 완료한 상태이다.

5단계 완료!

저자님, 고생하셨습니다! 😊

● **누구나 글쓰고 작가되는 비법** 도서

등록을 성공적으로 마무리 하였습니다.
제출 후 영업일 기준 **3일이내**로.
도서 심사 내역에서 확인 또는 이메일로 반려사유 등을 확인하실 수 있습니다!

임시서재 진행상황

클릭하면 다음과 같이 확인할 수 있다.

1건	7건	0건	16건	0건	0건
최초심사	유통신청	판매중지	파일교체	샘플우편	브런치이벤트

도서 최초등록 총 1건

심사요청 1 심사중 0 반려 0 최종확인 0 취소 0 전체 1

도서번호(숫자), 도서명, 저자명, 도서ID, 상품ID 검색

심사요청 **누구나 글쓰고 작가되는 비법**
강신진

도서정보		저자정보	
도서번호	177570	저자명	강신진
표제	누구나 글쓰고 작가되는 비법		
구분	종이도서		
카테고리	인문		

신청 2023.07.12 최종 2023.07.12

도서가 최초 제출 되었습니다. 심사요청중입니다. 영업일 기준 2-3일 소요됩니다.

제출취소

출판 신청하면 내 책 만들기 신청이 끝이다.

부크크 [승인]은 2~3일 기다리면 승인 여부를 메일로 보내준다.

승인되면 드디어 내 책이 출판된 것이다.

혹시 제출된 원고 형식이나 글꼴, 사정에 따라 [반려]될 수도 있다. 반려되면 다시 내 [책 만들기]-[임시 서재]에서 정확하게 수정하고 재승인 요청하면 승인이 된다.

내 책 출판 확인하기

승인된 내 책을 클릭하면 서점의 판매상태가 된다. 내 책을 저자인 내가 사야 내 책을 볼 수 있다. [부크크]는 저자도 책을 사이트에서 구매해야 책을 읽어볼 수 있다.

1) 아이콘 [검색]란 클릭하고 저자 이름을 입력한다.

2) [강신진]

3) 도서를 검색한다.

최종 확인은 저자에게 메일로 전달하며, 내 책의 출판 승인 완료된 것이다. 궁금하신 부분이 있다면 게시판에 글을 남기거나 담당자 메일로 문의한다.

[부크크 사이트]-[커뮤니티]에서 궁금한 사항 참고하면 글쓰기 및 내 책 만들기 방법을 공부할 수 있으니 참고 바랍니다.

BOOKK 책만들기 작가서비스 서점 커뮤니티

홈 공지사항 지식iN 작가노하우 자주묻는질문 고객센터 자유게시판

내 책 구매하기

저자도 내 책을 구매해야 한다.

[부크크]-[서점]-[내 책 제목] 검색에서 저자도 책을 구매해야 내 책을 볼 수 있다. 내 책을 구매하는 저자 구매 가격은 인세 없이 할인하여 구매할 수 있다.

구매할 책을 [장바구니]에 담아두거나, 도서비 결제하면 택배로 내 책을 받게 된다. 현재는 택배비 2,500원이 책값에 추가된다. 택배비는 나중에 온라인 사이트에 홍보하면 환급된다.

6. 나는 글 쓰는 교사 작가다

작가는 예술과 취미의 분야에서 작품을 창작하는 사람을 말한다. 이때 작품이 반드시 문학 작품일 필요는 없으며, 문학 작품이면 저술가라고 불리지만, 일반적으로 작가라고도 하는 경우가 많다.[4)]

일반적으로 시인, 소설, 수필, 산문 등의 저자를 의미한다. 글 쓰는 사람만이 작가는 아니다. 방송 작가, 사진작가, 미술작가, 여행작가 등 다양하다.

작가만 글을 쓸 수 있을까?

글을 쓰는 사람은 작가이다. 글을 쓰는 자가 저자다. 글은 나를 알아가는 과정이다. 나는 저자다. 나를 알아가는 게 글쓰기다. 글에 대해 생각하고 창의력을 발휘하여 글을 쓴다. 매일 또는 가끔 쓴 글 한 줄, 한 장, 두 장, 수십 장 모은다. 이렇게 모은 글이 책이 된다. 책을 출판하면 작가가 되는 것이다. 작가는 글을 쓰고 책을 만드는 창조자이다. 나는 교사이며 글을 쓰는 작가다.

자부심이요 자랑스러움이다.

"작가 되기 참 쉽죠?"

---

4) 위키백과 작가
https://ko.wikipedia.org/wiki/작가

글쓰기는 누구나 하는 것이다.

누구나 작가가 될 수 있고, 아무나 글을 쓸 수 있다. 글을 쓰고 내 책을 만들면 작가 되는 것이다. 글을 쓰는 자는 모두 작가다. 단지 어떤 분야의 글을 쓰느냐가 장르를 결정하게 된다. 시, 소설, 수필, 경제, 경영, 인문서, 수필, 동화, 다양한 분야가 수두룩하다. 분야별 선택하고 글을 쓰고 모으고 책을 만드는 것이다.

글쓰기 처음에는 다 힘들다. 누구나 다 첫 글쓰기 작품은 평범함에서 시작한다. 일단 무엇이든지 써볼 필요가 있다. 내용은 뭐라도 상관없다. 시작이 반이라고 종이 위에 쓰기 시작하는 것이 중요하다. 일상의 글쓰기가 중요하다.

글쓰기가 어려우면 다른 책을 읽거나 자료를 수집한다. 독서도 전략적으로 한다. 시를 읽고 기억하고 기록한다. 좋은 글은 펜으로 베껴쓰기 하거나 바꿔쓰기도 하나의 방법이다. 자료수집은 인터넷, 방송, 신문 기사, 논문, 사전, 일화, 경험, 면담, 다양한 책에서 인용한다. 글을 쓰는 비법은 보고 베껴쓰기, 바꿔쓰기, 고쳐쓰기다. 좋은 글은 고쳐쓰기를 헤아릴 수 없이 많이 한 글이다.

작가의 삶은 글쓰기 일상이다. 어떤 분야의 글을 쓰고 싶은지 생각하면 된다. 쓰고 싶은 분야를 자신이 잘 알고 있는 취미나 특기, 전문분야 직업의 분야를 제일 쉽게 쓸 수 있다. 작가 되는 길 너무나 쉽다. 나도 작가라는 꿈을 꾸면 시작이다.

책을 읽고, 글을 쓰는 삶이 성장하는 삶이다. 생각하며 사는 것이다. 질문하고 싶은 내용을 찾아보는 것이 독서다. 책을 읽고 내 마음의 글을 쓰는 일이 미래 내 꿈을 이루는 것이다.

글은 내가 언젠가 쓰는 게 아니라 지금 쓰는 것이다. 자신감을 가지며 꾸준한 성실성이 스스로 성장하게 된다. 작가의 능력은 글쓰기를 멈추면 함께 정지한다.

글쓰기는 생각할 줄 아는 사람을 만들며, 나를 찾게 해주는 안내자이다. 글쓰기는 생각을 도와주는 내 친구이다. 독서와 글쓰기는 인격 형성의 기본이요, 인성교육이며 미래 교육의 기초이다. 교사에겐 글쓰기가 가르침의 필수 조건이며 의무이다.

글쓰기 능력은 평생 특기가 되며 뛰어난 경쟁력이다.

글쓰기 능력은 미래인재의 지름길이며, 디딤돌이고 주춧돌이다.

“나는 작가다”

3부 내 책 만들기 비법이다.

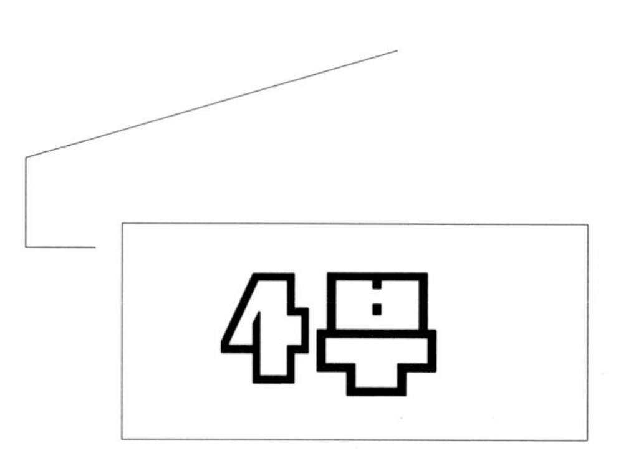
4부

글 쓰는 교사
미래가 보인다

글을 잘 쓰는
유일한 비결은
'읽기'다.

- 스티븐 크라센 -

말하는 것처럼 써라.

- 볼테르 -

4부. 글 쓰는 교사 미래가 보인다

독서는 문화이고, 글쓰기는 습관이다.

독서와 글쓰기 습관은 평생 갖추어 실천하는 의무이고, 일상이 되면 행복한 삶이 다가온다.

안중근 의사(義士)의 유명한 글입니다.

일일부독서 구중생형극 (一日不讀書 口中生荊棘)

"하루라도 책을 읽지 않으면, 입에 가시가 돋는다"라는 말이다. 매일 책을 읽어야 좋은 대화를 할 수 있다는 의미다. 독서는 지식을 쌓고 지혜로운 사람이 되는 방법이다. 독서는 뇌를 깨우고 새로움을 창조하는 일이다. 독서를 통한 지식은 내 인생 보물이다.

"세 살 버릇 여든까지 간다."라는 속담이 있다. 어릴 때 습관의 중요성을 말한다. 가정과 학교, 사회에서 어린 시기부터 제대로 된 책 읽는 습관을 익혀야 한다. 특히 평소에 책 읽고, 글을 쓰는 습관을 강조한다. 읽고 배우고, 쓰면서 배우는 게 평생 배우는 자세다.

책을 읽는 것은 나를 위해서 하는 행동이다. 책은 저자의 생각과 감정을 기록한 친구다 "무엇을 표현하지" 궁리하고 쓴 게 책이다. 책은 저자가 독자에게 감동을 주는 보약이다.

책을 많이 읽은 자가 미래의 인재이다. 독서와 함께 질문하는 능력이 중요해진다. 책은 글로 이루어진다. 글을 읽으면 깨닫게 되고 길이 훤하게 보인다. 그래서 나온 말이 "책 속에 길이 있다" 라는 말이 생겼다. 독서에도 특별한 방법은 없다. 책을 많이 읽는 게 미래로 가는 지름길이다.

책은 사라지지만 책에서 얻은 지식은 위대하다. 내 삶에서 내 지식과 경험은 사라지지 않는다. 전문 서적을 읽어야 이해된다. 전문가 과정을 거쳐 직업인으로 성장하는 거다. 교사는 세상에 이바지하는 삶이며 평생 공부하는 학생이다. 독서는 문화이고 삶이다. 한 나라의 국가 경쟁력이다.

글쓰기에도 정답은 없지만 특별한 정석은 존재한다. 글쓰기는 기술이고 습관이다. 일기나 수업일지를 쓰면 가르침에 대해 성숙해지고 성찰하게 된다. 글쓰기의 효과는 무궁무진하다. 글쓰기의 가치는 성장하는 삶이다. 성숙해지고 성찰하는 삶을 유지한다.

글쓰기는 나를 찾는 일이요 나를 깨우는 길이다. 힘들고 어려울 때 글 쓰면 다 해소된다. 나를 치유한다. 또한 깨달음을 알게 되는 지름길이다. 삶의 가치를 얻으며 홍익인간의 삶이 되는 꿈을 이루기 기대한다.

교사 글쓰기의 미래

문해력(文解力)은 글을 읽고 이해하는 능력이다. 책을 읽는 습관이 형성되면 이를 바탕으로 문해력이 발달한다.

한글을 단순히 읽고 쓰는 것뿐만 아니라 글을 정확하게 이해하는 문해력을 지녀야 한다. 문해력은 영어로 Literacy이다. 문해력은 문자로 된 기록을 읽고, 거기 담긴 정보를 이해하는 능력을 말한다. 5)

교사도 지치고 힘들 때 기대고 싶은 곳이 있다. 교사 혼자 고민하지 말자. "혼자 가면 빨리 가지만 함께하면 멀리 간다"라는 말이 있다. 수업 친구, 동 학년 교사, 전문적 학습공동체가 함께 협력하는 것이다. 교사는 더욱더 성장하고 성숙한 교사가 된다. 수업에서 벗어나는 방법이 있다. 함께 협력하는 수업 문화를 위해 모이자. 같이 하면 가치가 크다. 교사도 학생도 행복한 학교를 만들려면 함께 하는 게 제일이다. 경험해 봐서 안다.

교직 기간 30~40여 년 해야 한다. 매우 긴 시간이다. 학생 맞춤형 수업 함께할 때 더욱 행복한 교사 생활이다. 학교는 공부하는 곳이며 놀이터이다. 교육과 보육을 함께 하는 장소이다.

---

5) 네이버 사전
https://ko.dict.naver.com/#/entry/koko/5811d92a3aeb4f819aa33c2ddcba4c46

공부는 끝나지 않는다. 가정교육이 기본이 된 학생과 그렇지 못한 학생이 함께 생활하는 장소이다. 학교에선 단체 생활이라, 규칙과 질서를 준수하고, 협동하고 개인의 역량을 함양하는 장소이다.

그렇지만 지금 상황은 어떠한가?

교사의 학교생활 모두 비슷비슷하다. 학생들은 가르치면 잘하는 학생도 있지만, 잘못하는 학생도 있게 마련이다. 미 성숙한 학생이니 당연한 현상이다. 학생에겐 마음을 열고 격려와 지지하게 되면 자존감을 향상하게 한다.

칭찬하는 습관으로 "피그말리온 효과"를 바라자. "나중에 커서 잘하겠지!" 교사의 마음이 이렇다. 바다와 같은 넓은 마음뿐이다. 거룩하고 아름다운 사랑의 마음을 누가 알아주길 기대하지 말자. 교사 스스로 신뢰도를 높이고, 교육 효과를 극대화하기를 연구하는 길이 정석이다. 역지사지를 할 줄 안다는 것은 성장하며 성찰하는 자세다.

교사의 글쓰기가 필수인 시대요, 경쟁력이 되고 있다.

글 잘 쓰는 방법은 따로 없다. 많이 쓰는 게 정답이다. 글쓰기 도서를 많이 읽고, 글을 쓰는 행동이다. 컴퓨터나 펜을 들고 쓰는 일을 실천하는 게 진리다. 글쓰기 연수에 참석하여 비법을 배우는 일이요, 묻는 방법이 제일이다. 좋은 칼럼이나 글을 필사하는 방법도 있다. 신문의 칼럼을 읽거나 베껴 쓰는 일, 또는 주제를 정하여 A4 용지에 칼럼을 쓰는 일이다.

사마광은 “경서(經書)를 가르치는 스승은 만나기 쉬우나, 사람을 인도하는 스승은 만나기 어렵다.”라고 했다. 학교는 교사와 학생이 서로 가르치고 배우는 아름다운 곳이다. 지금 학교에서의 삶을 다시 생각하니 부족함을 느낀다. 내 삶이 타인 입장을 여러 가지로 고려해 보는 것이 부족했다. 학생 입장도 되어보고 부모 입장도 되어보고 상대방의 입장을 헤아리는 게 중요했다.

이제는 4차 산업혁명 시대 하이테크(high Tech)와 하이터치(High touch) 시대이다. 4차 산업혁명 시대는 스마트한 첨단기술을 이용한다. 똑똑하고 따뜻한 사람이 되고, 따뜻한 하이터치의 감성을 발휘할 수 있는 자가 필요하다. 교사는 따뜻한 인재를 기르도록 적극적으로 노력해야 한다. 글쓰기 경험이 창의성, 감성 능력을 향상해 줄 것으로 기대한다.

스펜서 존슨의 도서 『누가 내 치즈를 옮겼을까?』의 주제는 변화이다. 미래는 교사에게 끝없는 탐구와 변화를 요구하고 있다. 좋은 교사는 배우는 교사다. 배움에는 끝이 없다. 여행은 힐링 장소의 변화요, 글쓰기는 마음의 변화다. 변화에 적응하고 좋은 교사 되는 방법은 평생 배우는 자세이다. 스스로 연구하고 공부하며 실력을 키워갈 길이 교사의 삶이다. “나는 아직도 배우고 있다.”라는 교육의 명언이다. 교사는 가르치는 일에 대한 사명감, 진정성이 중요하다.

교사는 교직의 경험에 따라 학생을 가르치는 게 다르다. 초임 교사 시절의 실수를 줄이는 건 경험자의 대화를 통해 배운다. 학생을 가르치는 게 생방송이요 다시 되돌릴 수 없는 삶이다. 평생 미리미리 다방면을 부지런히 배우고 실패를 줄이는 게 중요하다. 노력을 통해 훌륭한 교사로 성장해 나가야 한다.

교사 글쓰기는 글쓰기 또한 단시간에 완성되지 않는다.

화가는 아이디어와 생각을 창의적으로 표현한다. 강사는 말로 표현하고, 작가는 표현하는 게 글이다. 책 한 권 출간했다고 글쓰기를 통달한 게 아니다. 글쓰기를 통해 삶의 목적을 깨닫는 기회를 소망한다. 글쓰기를 통해 더 즐겁고 행복해지는 효과를 누리면서 성장하는 교사이길 바란다.

작가 꿈은 이루어진다

괴테가 말하기를 "꿈을 계속 간직하고 있으면, 반드시 실현할 때가 온다."라고 했다. 꿈은 소중하다. 지금은 꿈을 꾸는 시간이요, 준비하는 시간이다. 작가의 꿈은 한 줄 쓰기의 시작으로 이루어진다. 내 책을 만들면 작가다.

율곡 이이는 "공부란 늦춰서도 안 되고 성급해서도 안 되며 죽은 뒤에나 끝나는 것이다."라고 했다. 과거나 현재나 미래에도 공부는 평생 꾸준히 해 나가는 것이다. 미래도 공부는 성실함이 요구되며, 공부의 성과는 느리게 나타나는 편이다. 꿈을 이루는 방법은, 원하는 꿈을 꾸고, 성취하고, 꿈 너머 꿈을 이루어 세상에 이바지하는 것이다. 글쓰기 공부는 평생 써먹는 보배다.

월트 디즈니 (Walt Disney)는 말했다. "꿈꿀 수 있다면 실현도 가능하다." 간절한 내 꿈을 위해 실천하는 삶이다. 교사는 청소년에게 "꿈에 도전하라"라고 격려와 지지하는 삶이다. 하루하루 목표에 도전하며, 할 수 있다는 자신감으로 살라고 안내한다. 꿈을 통해 나를 냉철하게 판단해보고 분석하는 기회가 된다.

간절히 이루고자 하는 꿈이 있어야 성취할 수가 있는 법이다. 그 꿈이 달성해야 할 장기 목표이며, 자신이 정한 꿈을 이루기 위해선 단기 목표를 구체적으로 세워서 실천해야 한다.

사람이 꿈과 계획을 세우고 실천해야 한다. 아무리 큰 꿈을 세웠다고 하더라도 실행하기 위한 구체적인 행동계획이 없으면 소용없다. 구체적인 행동을 실천하는 게 독서입니다. "늦었다고 생각할 때가 가장 빠른 때"임을 잊지 말고 실천하는 것이 중요하다.

생텍쥐페리는 "계획 없는 목표는 한낱 꿈에 불과하다."라고 말했다. 꿈만 나열되면 모든 꿈이 저절로 이루어지지는 않는다. 즉시 성취할 때도 있지만 실수하거나 실패도 한다. 야구 선수가 타석에 서면 안타나 홈런을 매번 치는 것은 아니며, 축구 선수도 슈팅한다고 매번 골이 되는 것도 아니다. 운동이나 악기를 배우고 익히다 보면 잘될 때도 있고 힘들 때도 있다. 성공하느냐 실패하느냐의 문제가 아니라 포기하지 말고 잘할 수 있을 때까지 열심히 하는 것이 중요하다.

스티븐 킹의 조언 "쓰고 쓰고 또 써라, 계속 쓰면 저절로 작품이 창조될 것이다"라고 했다. 글쓰기가 바로 꾸준한 노력과 성실한 습관이 좌우한다. 작가의 꿈은 한 줄 쓰기의 습관으로 완성된 한 편의 글이다.

내 책 한 권 만들 수 있는 글을 쓰는 자가 작가다.

글쓰기는 행복과 비례한다

글쓰기에 효과는 무엇일까??

나는 글을 잘 쓸 수 있을까?

"글을 잘 쓰고 싶다.", "책 한 권 출판하고 싶다."라고 누군가는 말한다. 누구나 글 쓰고 책을 만드는 시대이다. 마음만 먹으면 책 한 권 출판하는 인공지능 시대이다.

일단 자신을 위한 글쓰기 공부 전략이 필요하다. 글쓰기에 좋은 방법은 딱히 없다. 스스로 터득하는 게 우선이요 가르쳐주는 곳을 찾아가서 배우면 된다. 하루 이틀에 글쓰기를 배우는 비법은 없다. 글쓰기는 꾸준한 습관과 성실한 자세가 필요한 일이다.

글쓰기 연수나 글쓰기 워크숍에 참석하는 게 하나의 방법이다. 혼자 터득하는 공부로 글쓰기를 할 수 있다. 또한 유튜브에도 글쓰기 영상이 많이 있다. 이를 보고 배워도 좋다. 글쓰기 학원에 등록하여 배워도 되고, 글쓰기 책을 구매하여 실천하는 방법도 있다. 글쓰기는 대신해줄 수 없는 스스로 실천하는 방법뿐이다.

글쓰기는 체력이 중요하다. 책상에서 의자에 앉고 혼자서 쓰는 거다. 다른 사람이 대신해주지 않는다. 외로움과 괴로움을 함께해야 글이 완성된다. 글쓰기는 고통이고 힘들다.

그렇다고 엄청 괴로운 일이거나 꽤 힘든 일은 아니다. 보통 규칙적인 습관과 성실성이 조금이나마 있으면 가능한 일이다. 한 편의 글이 완성되면 기쁨으로 돌아온다. 그동안의 괴로움과 고통은 순식간에 사라진다. 내 책 한 권은 즐거움과 행복을 느낀다.

글쓰기 활동은 실천이 중요하다.

흰 종이에 글로 채워 넣는 일이다. 직접 체험한다는 것은 실천이다. 도전하며 행동으로 옮기는 일이다. 글쓰기는 체험이고 인내하는 과정이다. 글쓰기는 생각을 많이 하게 하여, 뇌를 활성화하며 사고력과 창의력을 향상시킨다.

글쓰기에 왕도는 없다. 보고 듣고 배우는 '백문 불여일견(百聞不如一見)'이 아니다. 글쓰기는 '백견 불여일행(百見 不如一行)'이다. 글은 내가 직접 쓰는 일이다. 글은 쓰면서 배우는 거다. 글을 쓰는 게 행동이며 창조하는 것이라는 의미다. 글은 써보는 게 체험이요, 써보면 글쓰기의 가치를 경험한다.

글을 쓰면 자신을 뒤돌아보고 상대에 대한 이해가 깊어진다. 그리고 나의 삶의 철학은 더욱 견고해짐을 느낀다. 글쓰기는 감정을 표현하고 해소하는 좋은 방법이다. 내 감정을 글로 표현하면서 마음의 안정을 찾을 수 있다.

1). 더 나은 삶이다

삶을 변화시키기 위해 무언가를 해야 한다.

지금 글 쓰는 일은 더 나은 삶을 위한 방법이다. 글을 쓴다는 것은 기록이다. 글쓰기는 일상을 기록하는 일기와는 조금 성격이 다르다. 내 감정과 상태를 확인하는 일이다. 나를 알아가는 과정이며, 나를 관찰하게 된다. 내 마음을 들여다보는 돋보기며 현미경이 된다.

글쓰기는 내 생각, 감정, 경험을 표현하는 좋은 수단이다. 나를 발견할 수도 있다. 글로 독자들과 소통하며 나를 뽐내거나 자랑스럽게 표현할 수 있다. 단 이 모든 사항은 독자의 판단에 맡길 일이다.

글쓰기 학습에는 많은 시간이 소요되며, 글쓰기에 왕도는 없다. 글쓰기는 정답은 없고, 정성을 들이는 일만 있다. 글쓰기는 정성과 노력이 제일이다. "지성(至誠)이면 감천(感天)이다"라는 말이 있다. 지성과 감천은 지극한 성실성이다. 진실한 마음으로 변하지 않고 초심의 마음으로 처음처럼 열심히 생활하는 거다.

"하늘은 스스로 돕는 자를 돕는다" 내가 나를 돕는 것이다. 남에게 의지하지 않고, 열심히 노력하며 살아가는 정신이다. 글쓰기에 적합한 딱 맞는 명언이다. 어제도 오늘도 내일도 변함없는 명언이다.

글쓰기는 자신의 성장과 발전에 도움을 준다. 내 생각을 정리하고 새로운 지식을 얻어 지혜롭게 지낼 수 있다. 인간이 평생에 걸쳐 찾아내야만 하는 일생일대의 사명이다.

글쓰기는 내 마음을 치유하는 좋은 습관이며, 긍정적인 생각으로 지혜로운 삶을 사는 기초가 된다.

글쓰기의 효과를 제시했다.

1) 글쓰기는 고통을 견디고 극복하는 데 도움을 준다.

2) 글쓰기는 나의 오래된 기억을 보관할 수 있다.

3) 글쓰기는 인생의 문제에 대한 의문을 풀어주고 결정을 내리는 데 도움을 준다.

4) 글쓰기는 잠깐이라도 인간답게 살 수 있게 해주는 역할을 한다.[6]

---

6) 글쓰기의 효과
https://brunch.co.kr/@rokafhwang/762

2). 글쓰기는 행복이다

요즘 행복하십니까?

무엇이 당신을 행복하게 하나요?

어제와 오늘은 같지 않다. 어제 글을 쓰기 시작하니, 오늘 글감이 쌓여 지금 내 책이 출판된다. 보통 평범함에서 비범함을 느낀다. 책 한 권이 출판되면서 더욱 성장하고 있음을 경험한다.

글을 쓰면서 같은 말을 듣는다.

"언제 한 권의 책을 쓰지?"

글은 쓰면 쓸수록 완성되기 전까지는 괴로울 때도 있다. 일상에서 글의 내용을 채우기가 더디다. 하지만 매일 쓰면 글감의 양이 많아진다. 차곡차곡 쌓이면 뿌듯함이 생긴다. 글 쓰면서 생각도 깊어지며 성장하고 있음을 실감한다.

글쓰기를 통해 얻는 즐거움과 행복이다. 글을 잘 쓰려면 쓰기에 필요한 기술과 정해진 기준에 맞추어 쓰는 능력이 필요하다. 좋은 글을 쓰기 위해서는 무엇보다 많이 써보는 것이 필요하다. 글쓰기는 머리로 습득하는 것이 아니라 몸으로 습득한다는 말이 있다. 성실하게 꾸준하게 써야 한다는 사실이다.

내가 원하는 일을 무엇인가?

나를 찾는 방법은 무엇일까?

글쓰기 실천하지 않고, 언제나 쓸 생각만 할 것인가?

나를 찾으려면 나에게 관심을 기울여야 한다. MBTI, 다중지능 검사, 적성검사, 흥미검사, 명상, 여행….

스티븐 킹은 " 가장 두려운 순간은 언제나 시작하기 바로 직전이다."라고 했다. 지금 오늘보다 더 나은 내일을 위해서 무엇을 할 것인가? 모르면 괜찮지만, 알고도 행하지 않으면 안타까울 따름이다. 글쓰기는 나를 찾는 길이다. 나를 발견하면 행복을 느끼게 된다. 즐거움과 행복에 이르는 방법이라고 강조한다. 내 머릿속 생각들을 표현하는 게 글이요, 글이 쌓여가면 행복하다.

글쓰기는 실천한다는 게 가장 어렵다. 어려움을 극복하고 한 권의 내 책은 성취감과 즐거움으로 다가온다. 글을 쓰는 건 괴로움보다 기쁨이 더 크다. 즐거움으로 가득하고 기쁨이 넘치며 보람과 만족으로 행복해진다. 삶의 변화를 원하고, 인생에서 추구할 가치를 찾고 싶다면 글을 쓰라고 권장한다. 글쓰기는 나답게 행복해지는 비법이다.

3). 글쓰기는 이타주의 삶으로

인생은 마라톤과 같다.

마라톤을 하면 처음부터 끝까지 가야 할 길이 있다. 그 길을 이탈하면 낙오자요 실패하는 거다. 단 마라톤 대회에서 실수한 것이지 인생에 실패한 건 아니다. 대회든 아니든 마라톤은 쉬지 않고 완주를 하는 것만으로도 엄청난 성공이다. 삶은 한순간의 최고 속도를 기록하는 단거리 경주가 아니다.

글쓰기도 마라톤이다. 처음 시작 하면서 몇 글자 쓴다고 완성되는 게 아니다. 글의 주제와 내용을 성실하고 꾸준하게 작성해야 하는 일이기 때문이다. 한 편의 짧은 글은 금방 쓸 수 있다. 다른 사람에게 감동을 주거나 지혜를 주는 한 권의 책은 마라톤과 같다. 마라톤처럼 끝까지 완주하는 게 글쓰기다. 한 권의 글은 성취감과 자신감을 얻는다. 글을 쓰면서 글의 내용이 타인에 대해 관심과 이해를 기본으로 써야 한다. 내가 좋아서 쓰는 글은 자기만족이다. 자서전이나 일기처럼 내가 만족하는 글이다. 세상을 살아가는 데 다른 사람을 위하는 글은 가치가 크다.

한 권의 책은 다른 사람들을 위해서 쓰는 글이다. 책의 내용이 내 이야기지만 다른 사람들에게 감동을 주면 금상첨화이다.

독자에게 인정받는 글은 무엇일까?

독자에 필요한 말은 좋은 글이다. 감정과 상황을 이해하려고 입장 바꿔쓴 글이다. 감동을 주는 책은 인기도서가 되고 저자는 인정받으며 영광이며 따라오는 부가가치도 대단하다.

세상의 대부분 일이 이타주의 삶이다. 일부는 아니라고 반박도 하겠지만 대부분은 이타주의 삶이다. 세상의 대부분 직업이 배려하는 삶이요 베푸는 삶이다. 이기적인 일도 있겠지만 세상사 오십보백보다. 교사의 삶도 이타주의 삶이다. 내가 배우고 익힌 것을 학생에게 제공한다. 즉 배워서 남 주는 삶이다. 이런 인생이 이타주의 삶인 것이다.

이타적 행위는 각자의 선택이다. 다른 누군가에게 과시하거나 강요하는 듯한 오해는 없기를 바란다. 교사는 학생에게 지대한 영향을 끼친다. 아니라고 누가 말하겠는가. 영향력이 대단히 크다. 단 그 사실을 현재 상태에서 못 느끼고 시간이 흘러야 알게 된다. 교사는 큰 영향력을 끼칠 수 있는 잠재력을 지니고 있다.

내 능력을 세상에 돌려주는 방법은 많다. 기부를 통해 베푸는 일도 있겠다. 인생은 돌고 도는 삶이다. 인간은 이기적인 동시에 이타적이다. '이타적'이란 말의 개념은 "한 개인이 자신의 이익을 잠정적으로 혹은 영구히 거두고 남의 고통을 덜어주며 남의 복지를 먼저 생각하는 윤리 도덕적 심성의 본질, 즉 마음씨"다.

이 마음씨는 실천적 노력을 해야 갖출 수 있는 것이다. 도덕의 가치는 바로 인간이 지켜야 할 의무다.

"왜 인간은 남을 도우며 살아야 하는가?"

이타주의 삶을 사는 방법은 무엇일까?

이타심이란, 보상받으려는 기대 없이 '남에게 이익이 되는 마음'을 자발적으로 갖는 것을 말한다. 하지만 역설적으로 많은 연구에서 이타적인 사람일수록 더 행복한 것으로 나타났다.

> 정신의학신문
>
> 이타심이 많은 사람의 특징을 살펴볼까요.
>
> 첫째, 그들은 동정심의 범위가 넓습니다. 이타적인 그들은 관심의 범위가 지인 혹은 모르는 사람에게까지 확장됩니다.
>
> 둘째, 극도로 이타적인 사람은 '탈자기성'을 가집니다. 이타적인 사람은 전체 속에서의 '나'로서 살아갑니다.
>
> '우리'의 개념이 가족 > 친구 > 지역사회 혹은 인간 > 동물 > 생명체처럼 범위가 넓어질수록 더 이타적인 사람이라고 할 수 있습니다.
>
> <중략>
>
> 이렇듯 이타주의는 내가 손해 보더라도 타인을 위한 행동을 하는 것이라고 흔히 생각하지만, 결국 전체 속에서 나를 바라보는 관점은 뇌의 보상체계를 활성화해 행복감을 가져다준다는 사실을 잊지 마시기 바랍니다.[7]

---

7) 정신의학신문 전형진 정신건강의학과 전문의 글 [이타적인 사람이 가지는 특징] https://www.psychiatricnews.net/news/articleView.html?idxno=33568

이타주의 삶을 살아가는 게 중요하다.

이타주의 삶은 자신뿐만 아니라 타인의 복지와 행복을 생각하며 살아가는 삶을 의미한다.

자신의 이익보다 타인의 이익을 우선시하며, 시간과 자원을 타인을 위해 헌신하는 것을 의미한다. 자신이 가진 기술과 능력을 활용하여 돕는 활동이다. 나누는 것은 타인과의 관계를 강화하는 데 도움이 된다. 다른 사람들을 더 많이 도울수록 더 많은 즐거움이다. 자신도 더욱 성장하고 배우는 경험을 할 수 있다.

"펜은 칼보다 강하다."라는 말이 있다. 보통 문학이나 언론의 영향력을 표현할 때 쓴다. 즉, 무기로서 펜이 칼보다 뛰어나다는 말이 아니다. 짧은 글귀라도 그 속에는 작가의 신념이 고스란히 녹아있다. 한 문장의 가치있는 글은 신념과 희망을 준다.

옳은 말, 좋은 말, 아름다운 말, 교훈이 되는 진솔한 말과 글이 사람의 마음을 바꾸고 세상을 변화시킨다. 글의 가치가 매우 크다.

글을 쓰는 일은 교학상장임을 깨닫는다.

3. 글쓰기는 사람다움이다

나는 누구인가?

나는 무엇을 할까?

“사람은 책을 만들고 책은 사람을 만든다”라는 이야기를 한다. 어떻게 글쓰기를 시작해야 할지 막막하다. 처음부터 완벽한 글쓰기를 구사하는 것은 어려운 일이다

글쓰기는 기억과 기록을 한다.

글쓰기는 생각과 감정을 표현하는 좋은 수단이다.

글쓰기는 영감과 창의성을 자극하며, 자신을 표현할 수 있다.

글은 사람들의 마음을 움직이는 힘이 있다.

글쓰기는 생각을 정리하고 분석하며, 성장하고 성찰하게 된다. 개인의 성장이요 성숙한 사람으로 변화된다. 건전한 인격을 가지고 있는 사람은 자신에게 확신한다. 글쓰기는 개인적인 가치뿐만 아니라 사회적인 가치도 가지고 있다. 글을 통해 다른 사람들에게 영감을 주거나, 공감을 끌어내거나, 사회적 변화를 끌어낼 수 있다.

글을 쓰면 자신에게 출발한 이야기가 점점 주변으로 확장된다. 계속 글쓰기 하면 이웃과 세상에 눈을 뜨게 한다. 골똘하게 생각하며 무엇을 통해 세상에 이바지할 것인가를 생각한다.

1). 성장하는 삶을 위하여

교사가 신(神)인가?

그동안 교사를 하면서 느낀 감정이다. 국가는 있는데 교육은 없고, 교사는 많은데 선생님은 없다고 한다. 아니 선생님은 많은데 스승이 없다고 한다. 교육공무원은 교사다. 요즘 교육과 보육을 교사에게 하라니 힘들다.

초임 시절엔 선생님의 역할이 중요했는데, 최근엔 가르쳐주고 보살펴주는 선생님이 아니고, 지식전달자 느낌이다. 행동을 바르게 하라고 하면 잔소리하는 꼰대로 인식하고 있다는 느낌이다. 요즘 학생들은 올바른 사고와 행동이 자신의 인생에 영향을 준다고 생각하지 못한다.

지식전달도 중요하겠지만 깨달음을 주는 방법을 나 스스로 찾은 게 바로 글이다. 잔소리할 내용을 글로 써서 책을 만드는 일을 생각한다. 그래서 글을 쓴다. 내가 생각하며 글을 쓰니 내가 성장하는 거다.

글을 써보면 자신을 잘 안다. 내가 얼마나 알고, 얼마나 모르고 있는지를 정확하게 알 수 있다. 글쓰기는 수행의 과정이요, 인내하는 수행이다. 일상을 적는 습관은 나에 대해 더 깊이 이해할 수 있다. 일기를 쓰면 개인이 반성하고 깨닫고 일상에서 성장한다.

요즘 일기를 쓰는 학생이나 성인도 거의 없다. 세상을 살면서 후회와 반성이라는 게 있어야 성장하는 데 이런 일 없이 일상을 유지한다. 바쁘다 바빠. 일기를 쓰는 것은 자기 생각과 감정을 기록하고 정리하는 좋은 방법이다. 일기를 쓰면 나를 발견하는 일이다. 자신의 괴로웠던 것은 고통스러운 일이다. 자신의 마음을 들여다보고 일기를 쓰는 거다.

글쓰기는 나를 치유하게 된다. 경험에서 나오는 잔소리다. 글쓰기를 시작하고 시간이 지나니 처음에는 원망의 글이 써지더니, 내 마음이 나를 파헤친다. 이러한 경험을 하니 글쓰기가 나를 찾는 보물찾기나 마찬가지다. 글쓰기는 정신 건강에 도움이 되고 스트레스 해소에도 효과가 있다. 글 쓰면 내 마음의 평화를 얻을 수 있다.

수필을 쓰면 나와 주변을 관찰하고 세상을 살펴보게 된다. 글을 쓴다는 것은 나를 찾으며 가능성을 발견하는 일이다. 내가 성장하는 데 가장 좋은 방법임을 알게 된다.

글쓰기가 처음엔 부담은 되지만, 자신과의 싸움에서 이기는 방법은 꾸준함 밖에 없다. 글쓰기 습관이 형성되기까지 어려운 글쓰기를 반복해야 한다. 글쓰기의 비법은 성실과 인내만이 정답이다. 글을 쓴다는 것은 결국 자신의 능력을 드러내며 더욱 성장한다. 생각지도 못했던 표현이 자꾸 생각난다.

글쓰기는 기록하고 전하는 일이다.

책을 만들어 독자에게 하고 싶은 말과 교훈을 주며 가치를 느끼게 하면 좋은 글이다. 내 글에 누군가 "지혜를 얻고, 위로를 받으면 좋겠다." 생각하면서 글을 쓴다. 생각도 글을 써서 정리하면 창의적인 생각으로 바뀐다. 단 독자는 원하는 게 각자 다르다. 맛있는 음식을 찾는 사람들처럼….

내 삶이 글의 주제에 집중하며 주변 정리를 하게 된다.

내가 변화하고 성장하는 주인공이 된다. 소중한 순간, 추억, 아이디어를 글로 남기면 오랫동안 기억할 수 있다. 책을 만들면 더욱 자랑스러우며 보람과 만족을 얻는다. 내 글을 살펴보면서 좀 더 나은 성장과 변화를 확인할 수 있다. 앞으로 성장하고 싶은 부분 등에 대해 고민하고 탐구해보는 것이다. 글쓰기는 내 안에 숨어있는 잠재력을 발휘하는 좋은 방법이다. 매일 글을 쓰는 삶은 날마다 성장하는 인생이다.

2). 성찰하는 삶을 위하여

괴테는 “생각하는 것은 쉬운 일이다. 행동하는 것은 어려운 일이다. 생각한 대로 행동하는 것은 더욱 어려운 일이다.”라고 했다.

생각하고 행동하는 사람, 습관을 실천하는 사람이 되어야 한다는 의미다. 생각을 실천하려면 마음먹고 행동하는 의지가 필요하다.

“생각이 바뀌면 행동이 바뀌고, 행동이 바뀌면 습관이 바뀌며, 습관이 바뀌면 운명이 바뀐다.”라는 명언은 미국의 철학자 윌리엄 제임스가 한 말이다. 내 행동, 내 습관을 잘 살펴보아야 한다. 지금부터 생각을 통해 좋은 습관으로 바꿀 수 있도록 최선을 다한다고 다짐해본다.

“생각대로 살지 않으면 사는 대로 생각하게 된다”라는 말이 있다. 내 생각대로 꿈과 목표를 향해 달려가는 인생이다. 삶을 되돌아볼 수 있는 시간이다. 마음공부 하는 시대, 마음을 비우며 내 마음의 변화가 일어나길 바라며 반성한다. 과거 실수가 더 나은 모습으로 성장할 좋은 기회라 생각한다.

나를 채우는 방법은 무엇일까?

교직에서 교사의 삶을 생각하게 된다. 나 자신의 변화도 쉽지 않은데 학생들을 가르치고 변화시키겠다고 지낸 시절이 부끄럽다.

학생들을 가르치면서 따뜻한 마음과 냉철한 판단이 중요함을 이제야 깨닫는다. 초임 시절에 이 사실을 알았더라면 하고 생각하니 너무 안타깝다. 지금이라도 알게 되었으니 감사한 일이다.

교사는 모범적인 삶을 실천해야 하기에 힘든 직업이다. 잘 살아야 한다. 다른 누군가가 교사가 저러면 되나 하면서 도덕성을 크게 요구한다. 내가 했던 행동을 되돌아보면, 학교에서 욕하지 말라 하면서 나는 욕하는 모습을 보였다. 생각대로 움직여지지 않을 때가 많았다. 학생들에게 꿈을 꾸라고 하면서 나는 꿈을 꾸지도 않는 삶을 살았다.

영국 런던의 킹스대학 심리학과 교수 수전 스카이트 박사는 2003년 9월 영국 심리학회 학술대회에서 경직된 감정을 글로 쓰면 긴장이 풀리면서 상처 회복이 빨라질 수 있다는 연구 결과를 발표한 바 있다. 글을 쓴다는 것은 쉬운 일은 아니다. 글쓰기를 통해 생각과 감정을 표현하기는 쉽지 않다. 내 감정을 솔직하게 쓰는 게 괴로운 경험이었다.

그러나 자신을 성찰하는 글을 쓰는 습관을 들인다면 상처를 치유하는 데 도움을 확실하게 얻는다. 글쓰기는 생각하게 되니 뇌를 끊임없이 자극한다. 글쓰기는 우울, 불안, 각종 정서장애를 극복하는 데 도움이 되는 보약이다. 지금도 마음이 건강한 삶을 살기 위해 글을 쓴다.

성찰(省察)의 사전적인 의미는 '마음속으로 깊이 반성하여 살피는 것'이다. 내가 반성하는 거다. 스스로 부족함을 바라보는 것으로 그치는 것이 아니라 부족함을 채우는 게 진정한 성찰이다.

삶에 대한 과거의 잘잘못을 반성하고 나를 채워가기 위해 노력하는 삶이다. 실수를 인정하고 더 잘하도록 잠재능력을 발휘하는 것이다.

나를 살펴보는 게 성찰(省察)이고, 내 주변을 살펴보는 게 관찰(觀察)이고, 세상을 크게 살펴보는 게 통찰(通察)이 된다.

지금은 글쓰기 행동을 통한 진정한 '성찰가'를 꿈꿔본다.

3). 깨달음 얻는 삶을 위하여

그동안 '우물 안 개구리' 같은 삶을 살았다.

우물 안에 사는 개구리는, 세상에 바다라는 이 있는 줄 모르고 자기가 사는 우물이 제일 좋다고 생각한다는 의미다. 나는 학교 밖 더 넓은 세상을 알지 못한 채, 교실에서 갇혀있는 삶을 살았다. 크고 넓은 세상을 보라고 학생을 가르치고 있지만, 세상에 대해 잘 모르고 지냈다. 내 자화상이다. 읽고 배운 것 없이 아는 척하면서 나만 잘난 줄 우쭐대기도 했다. 지금은 "세상은 넓고 할 일은 많다"라는 걸 실감한다.

지금은 독서와 연수를 통해 다양한 지식과 경험을 습득하고, 글쓰기를 통해 인생에 대해 생각하며 지낸다. 내가 원하는 삶과 인생의 목적을 생각하게 된다. 나 자신의 가치관과 목표를 돌아보는 시간이다.

그동안 수업 컨설팅, 다양한 연수를 통해 다양한 사람들과 교류하며, 학교를 보는 시각이 바뀌고 있다. 대화를 통해 새로운 아이디어와 지식을 습득할 수 있는 시간이었다. 출장 다니느라 몸과 마음을 피곤하지만, 삶의 깨달음을 얻는 데 도움이 되었다.

다중지능이론은 하워드 가드너가 제시한 지능이론이다.

하워드 가드너는 제각기 다른 유형으로 아래의 8가지를 제시하고 있다. 언어 지능, 논리-수학적 지능, 공간 지능, 신체-운동적 지능, 음악 지능, 개인 내 지능, 자연주의적 지능, 대인관계 지능이다.[8]

자기성찰 지능(Intrapersonal Intelligence)이란 자기 자신의 상태나 감정을 파악하는 능력을 말한다. 자신에 관한 생각을 철저하게 객관적으로 이해하며 그에 기초하여 잘 행동할 수 있게 하는 능력이다. [9] 다중지능을 통해 해안가의 모래알처럼 사람의 능력과 생각이 다름을 깨닫는다. 다중지능 테스트를 권장한다.

다중지능검사 https://multiiqtest.com/
미국의 심리학자인 하워드 가드너가 제시한 다중지능이론을 기반으로 하여 작성되었습니다. 다중지능을 측정하기 위한 본 검사는 총 56문항이 나옵니다. 각 문항마다 평소에 편하고 습관적으로 하는 것을 체크하시면 됩니다.

8) 위키백과 다중지능이론
https://ko.wikipedia.org/wiki/다중지능이론
9) 나무위키 다중지능이론
https://namu.wiki/w/ 다중지능이론

깨달음이란 무엇인가?

다산 정약용은 "배움은 깨달음이다. 깨달음은 그릇된 것을 아는 것이다. 그릇된 것을 어떻게 깨달을 것인가? 평소 사용하는 말에서부터 그릇됨을 깨달아야 한다. 그릇된 것들을 하나하나 바로잡아 나가야 한다. 그릇된 것들이 제거된 마음가짐이 우리에게 무엇보다 필요한 것이다."라고 기록했다.

"부족함을 깊이 깨닫는 것이야말로 행복의 출발이다."라고 빌리 그레이엄은 말했다. 공자는 논어 위정편에서 아는 것을 안다고 하고, 모르는 것을 모른다고 하는 것, 이것이 아는 것이라 말한다.

배움이란 무엇인가?

배우는 것의 즐거움은 "학이시습지 불역열호(學而時習之 不亦說乎)"이다. 모르는 걸 이해하고 앎을 시작하는 방법이다. 공부는 배움의 즐거움이 제일이다. 성적으로 줄 세우는 교육이 아니라, 좋아하는 일을 잘하도록 도와주는 행복한 교육을 바란다.

교사의 가르치는 삶은 역지사지(易地思之)요, 교학상장(敎學相長)을 깨닫는다.

삶은 앎을 알아가는 과정이요,
삶이란 앎을 행하는 것이라는 사실을 깨닫는다.

삶은 앎을 행함이다

어린이 삶이란?
커가므로 어린이요, 꿈꾸니까 청소년이다.
앎은 꿈을 찾는 길이다.

청년 삶이란?
열정과 사랑이요, 낭만의 청춘이요,
삶은 앎의 변화이다.

교사의 삶이란?
가르치며 배우는 역지사지 삶이요,
앎을 행하는 과정이다.

인생이란?
삶이요, 앎이요, 행함이요,
삶은 앎이고, 앎을 행함이다.

4. 글쓰는 교사 미래가 보인다

나를 발견하는 게 글쓰기다.

글쓰기는 재미있다. 어떻게 글쓰기가 재미있을 수 있냐고 이야기하는 사람도 있을 것이다. 하지만 자신이 좋아하는 글쓰기 하면 얼마든지 재미있을 수 있다. 글쓰기는 나를 행복하게 하며 편안하게 해준다. 또한 일상을 반성하게 되며 내 마음을 알게 된다.

글을 쓰면서 나를 발견하게 된다. 이는 경험이다. 모두 같을 수는 없지만 글쓰기는 나를 들여다보는 일이다

일기는 매일 자신의 역사를 기록하는 행위다. 특히 일상에서의 하루 일상을 반성하게 된다. 과거 어릴 때부터 일기를 쓰는 이유가 바로 자신의 하루를 정리하는 거다. 스스로 생각하고 정리하며 나를 반성하는 일이다.

교사는 학생들에게 영향력을 가지고 있다. 긍정적인 영향력은 바로 경험을 가르치고 지식, 기능 태도를 가르친다. 미래를 위해 새로운 정보와 지식을 빠르게 습득해야 한다. 또한 문제를 해결하기 위한 사고력과 창의적인 능력이 필수다. 독서와 글쓰기 공부를 게을리하지 말아야 한다. 독서는 세사을 읽는 일이고, 글쓰기는 생각하는 능력과 사고력을 발달시킨다.

교육은 사람들의 인간다움과 따뜻한 인간중심 교육이 교육의 본질이다. 미래 지향적인 에듀테크 로봇, 인공지능 기술이 활용된다해도 미 성숙한 사람을 성장시키는 게 교육이다.

공부의 목적은 무엇일까?
교사는 무엇 하는 사람인가?

알베르트 아인슈타인은 "상상력은 지식보다 더 중요하다."라고 했다. 창의력과 상상력이 중요한 시대이다. 디지털 시대에 더욱 필요한 능력이다. 호기심, 상상력, 문제 해결 능력, 창의성은 매우 중요하다. 특히 논리적 사고력과 상상력은 글쓰기와 질문을 통해 함양할 수 있다. 생각하는 능력은 상상력이요, 사고력이다. 독서와 글쓰기로 상상한 것을 직접 표현하고 만들어 보는 실행하는 능력이 필요하다.

글쓰기는 힘들고 어려운 일이다. 학생들에게 글쓰기를 통해 자아를 찾도록 해야 한다. 교사의 직접 지도가 필요하다. 따라서 교사는 글쓰기 실력을 쌓아야 한다. 자신이 알지 못하면 가르치지 못하기 때문이다. 읽기와 쓰기에는 정답이 없다. 좋아하는 분야를 스스로 찾아서 글쓰기를 연습한다면 글쓰기의 즐거움을 찾을 수 있다.

100세 시대는 평생 공부하는 시대이다.

배우고 익히는 가장 좋은 방법은 체험이나 경험하는 거다. 직접 체험할 시간이 부족하면 간접 경험을 많이 하는 일이다. 간접 경험의 제일은 독서다. 책은 인생에서 크게 도움이 되는 삶의 나침반이다.

책을 읽고 글쓰기를 실천하는 삶이다. 일상 여러 가지 경험 중에서 글 쓰고 책 만드는 방법을 알려주는 자체가 자랑스러움이다. 지식을 알고 있는 게 아니라 아는 바를 글로 쓰는 일이다. 글로 다른 사람에게 메시지나 교훈, 경험이나 비법을 전하는 거다. 글쓰기는 세상으로 나가 삶의 질을 높이는 데 도움이 되는 거다.

"사람은 책을 만들고, 책은 사람을 만든다."는 말을 마음 깊이 새겨본다. 글은 삶의 지침이요, 독서는 미래인재다.

Leader is Reader

독서는 문화요, 글쓰기는 기술이다. 글을 쓰면 책이 되고 책은 글로 이루어진다. 누군가는 책을 읽는다. 책 속의 글을 읽고, 나아갈 길을 찾는다. 그래서 나온 말은 영원하다.

"책 속에 길이 있다."

5. 교사는 홍익인간의 삶이다

사회에 이바지하는 삶이란 무엇일까?
가치 있는 일은 무엇일까?
진정한 공부란 무엇인가?
어떻게 사는 삶이 행복할까?
바람직한 삶의 가치관 기준은 무엇일까?

평생 배워야 하는 시대이다.

세상을 살면서 전문 분야의 사람들로부터 배우며 지내는 게 지혜를 얻는 지름길이다. 독서는 간접 경험이라 스스로 읽고 느끼며 성장하고 발전하게 된다. 다양한 사람들과 협력하고 소통하고 존중하는 능력이 필요하다. 지속 가능한 세상을 위한 삶을 사는 게 행복한 삶이다.

우리의 삶은 한 번뿐이다. 생각해 본 적 없을 수도 있다. 이제는 생각해 볼 시점이다. 성공한 삶에 대한 기준도 생각하기 나름이다. 부와 명예를 대부분 생각할 것이다. 일부는 권력을 생각해 볼 수 있다. 정답은 없다. 행복한 삶에 대한 기준도 없다. 다만 내가 원하는 삶은 내가 사는 것이다.

인생 공부 세상 공부 사회 공부를 하며 지낸다. 삶의 목적과 자신의 가치, 그리고 자신의 장단점을 알아가는 공부가 중요하다.

인생 공부는 먼 미래를 내다보면서 살아야 한다. 후회만 하는 사람은 우울증에 빠지기 쉽다. 생각이 부정적일 수가 있으며, 불평불만이 많게 된다. 바꿔서 생각해 보자. 그땐 힘들고 고되고, 어려웠지만 덕분에 더 열심히 살고 지금은 잘 되었다. 공부는 즐거움이요 깨달음의 과정이다. 공부는 하면 할수록 깨달음의 세계로 빠져든다. 공부하는 인생은 행복해지는 삶이요, 깨달음의 가치를 느끼는 삶이다. 100세 시대를 맞아 홍익인간의 삶을 사는 거다.

삶의 나침반이 되어 줄 꿈 너머 꿈을 향하는 삶이다.

사람들에게 감동을 주고 감격하게 하는 인생, 영향력을 발휘하는 인생, 변화를 일으키는 인생은 위대한 인생이다. 사람의 마음을 풍부하게 하는 인생이다. 세상의 주인공은 바로 나다. 멋진 미래 인생을 기대한다. 멋진 세상이 내 미래다. 더 멋진 내가 아름다운 세상에 공헌하면서 행복하게 사는 모습을 상상한다.

새로운 미래 평생 공부하는 시대이다. 미래를 대비하는 가장 좋은 방법은 미래를 위해 준비해야 한다는 사실이다. 변화를 위하여 지속 가능한 공부를 하고, 변화에 적응하는 것이다. 과거나 현재나 미래에도 세상은 변하고 있다.

새로운 시대는 유행도 변하고, 가치도 변한다. 새로운 인간이 탄생하는 것이다. 새로운 인간은 바로 나다. 미래의 나는 생각할 줄 알고, 질문할 줄 알고, 삶의 의미를 깨닫는 인재다.

찰스 다윈은 “가장 강한 종이 살아는 것이 아니다. 가장 두뇌가 뛰어난 종이 살아남는 것도 아니다. 단지 변화에 잘 적응하는 종이 살아남는다.”라고 했다. 변화하는 세상에 변하지 않는 것은 없다. 오늘날 생존에 가장 필요한 사고방식이다. 글은 사회 변화를 일으키는 계기가 된다. 내가 새로운 환경에 적응하는 방법이다.

따뜻하게 하는 마음의 변화가 시작하는 게 생각이요, 생각을 실천하는 행동의 변화가 글쓰기다. 새로운 미래 도전에는 끝이 없다.

누구나 다 때가 있다. 영어 단어 present는, 지금(right now) 현재라는 뜻이며, 선물(gift)라는 뜻이다. 과거는 추억이고, 현재는 지금이요, 선물이다. 지금 이 순간이 인생에서 가장 귀한 선물이다.

“미치면 미치고, 안 미치면 못 미친다”라는 말을 생각한다.

좋아하는 일, 잘하는 일, 하고 싶은 일을 찾아서 즐겁고 행복하게 지내길 바란다. 좋은 시기는 적당한 시기도 아니고 가장 적절한 시간이 지금이다.

지금부터 글쓰기 시작이다. 글은 펜보다 강하다. 사랑과 열정으로 가르치는 교사, 말과 행동으로 모범을 보이는 교사, 홍익인간의 이념을 실천하는 교사, 글을 쓰는 교사는 우리나라의 보배고 미래다.

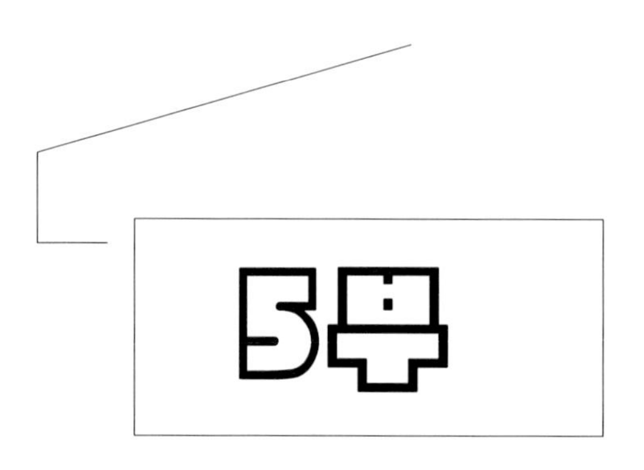
5부

AskUp 활용하는
창의적인 글쓰기

글쓰기는 세상에서
가장 외로운 노동이다.

- 존 스타인 벡 -

5부. AskUp 활용 글쓰기 TIP

인공지능(AI)은 다양한 분야에서 글을 생성하고 편집하는 데 사용되고 있다. 작가들 또한 작품의 아이디어를 얻고 초안을 쓰는데 AI가 제공하는 기술을 활용한다.

AI와 어떻게 협력해야 할까?

책은 독자와 소통하는 자료다. 좋은 아이디어와 방법을 제공하는 거다. 한마디로 독자에게 감동을 주는 일이다. 독자의 감정을 불러일으키고 소통하는 것은 작가의 손길이다. 인공지능(AI)과 함께 감정을 유발하여 감동을 불어넣을 수 있는 능력이라면 금상첨화이다.

글을 쓰는 것은 나를 위해서 하는 행동이다. 글은 저자의 생각과 감정을 기록한 친구다. “무엇을 표현하지” 궁리하고 쓴 게 글이요, 책이다. 책은 독자에게 감동을 주는 보약이다. 어떻게 작성하든 독자에게 유익한 정보나 메시지를 제공하는 게 작가다.

카카오톡과 AskUp 활용하기

대한민국 사람이 가장 많이 사용하는 앱이 무엇일까요?

카카오톡(KakaoTalk, 카톡)은 주식회사 카카오가 2010년 3월 18일 서비스를 시작한 글로벌 모바일 인스턴트 메신저이다.

현재 카카오톡은 스마트폰 사용자를 대상으로 애드웨어로 제공된다. 애드웨어(adware, advertising-supported software)는 특정 소프트웨어를 실행할 때 또는 설치 후 자동으로 광고가 표시되는 프로그램을 말한다. 각각의 OS에 맞는 앱 스토어에서 다운로드할 수 있다. 카톡이라고도 한다.[10)]

사람과 세상을 연결하는 향한 사람들과 메시지를 주고받을 수 있다. 언제 어디서나 간편하게 연결하여 소통한다.

ChatGPT를 활용하는 글쓰기 가능할까?

---

10) 위키백과 카카오톡
https://ko.wikipedia.org/Wiki/카카오톡

1. 카카오톡에 AskUp 채널추가

카카오톡에서 ChatGPT를 사용할 수 있는 서비스는 AskUp'이다. AskUp에 대해서 자세하게 살펴본다.

카카오톡 앱을 실행한 후 '채널 추가'만 하면 사용할 수 있고, 사용법도 매우 간단하다. **[친구]**탭의 우측 상단에 **[검색(돋보기)]** 버튼을 터치 후 "AskUP" 검색하고, 채널을 추가한다.

① 카카오톡 - **[친구]** - AskUp

카카오톡 앱을 실행한 후, 하단의 친구 아이콘을 들어가서 상단에 돋보기 아이콘을 터치합니다.

② 상단의 검색 창에 **[AskUp] 또는 [아숙업]**을 입력

③ **[채널 추가]** 'Ch+' 버튼을 터치하면 AskUp 채널이 추가한다.

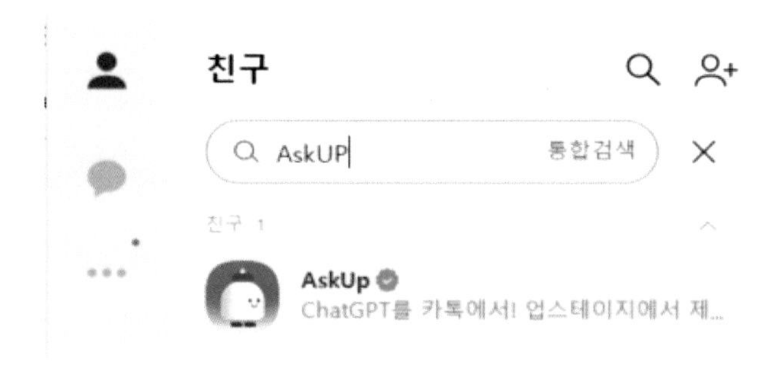

2. 카카오톡에서 AskUp 사용법

AskUp 채널이 추가되면, 새로운 채팅방이 생긴다. 이 채팅방에서 AskUp 챗봇과 대화를 시작할 수 있다.

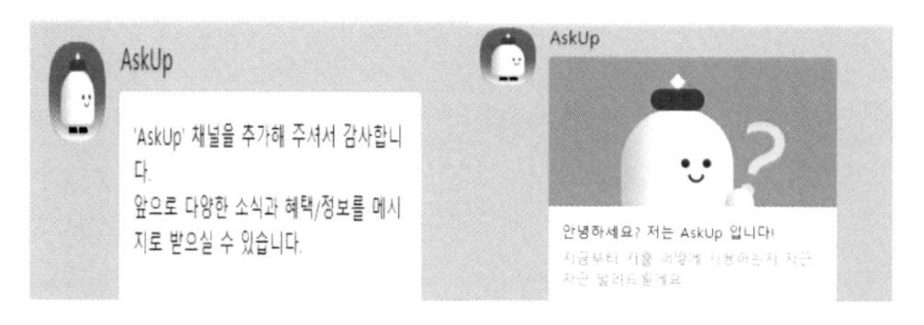

"귀하가 아래 사항에 동의하는 경우에만 AskUp과 대화를 시작해 주세요. AskUp 이용을 원치 않는 경우 채널에서 나가실 수 있습니다." 이런 글을 읽고 확인한다.

AskUp 챗봇 사용법을 제시한다.

일상 대화, 정보 검색, 그림 그리기, 질문에 답변을 제공한다. 알고 싶은 질문 문장을 입력하면 적절한 대답을 만들어 제공해준다.

① AskUp에 질문하기

1:1 채팅을 시작합니다.

원하는 질문을 입력하고 전송하면, 답변해준다. 다양한 주제 질문에 대답을 할 수 있다. 일반 지식에 관한 질문, 문제 해결 질문, 코딩 관련 질문, 영문으로도 질문에 답을 해준다.

AskUp은 OpenAI의 GPT 기술 기반으로, ChatGPT처럼 다양한 주제에 관한 대화가 가능하다. 일상 대화뿐만 아니라 전문적인 주제에 대해서도 충분한 답변을 얻을 수 있다. AskUp의 다양한 기능을 사용하는 기회를 얻어보기를 바란다.

[질문]을 입력한다.

"사주의 의미를 설명해줘" 했다. 답변이다.

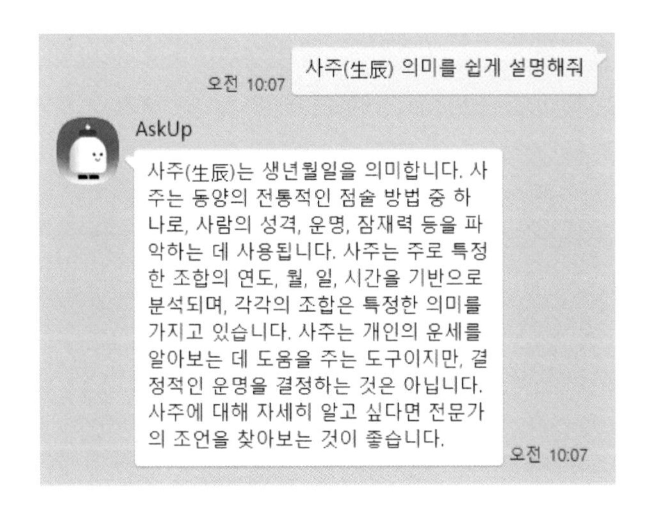

“글쓰기 강의 시작하는데 인사말을 써줘?” 했다.

답변이 다음과 같이 제시했다. 생일, 승진, 축하 인사말 하기 어려운 경우 아이디어를 얻을 수 있다.

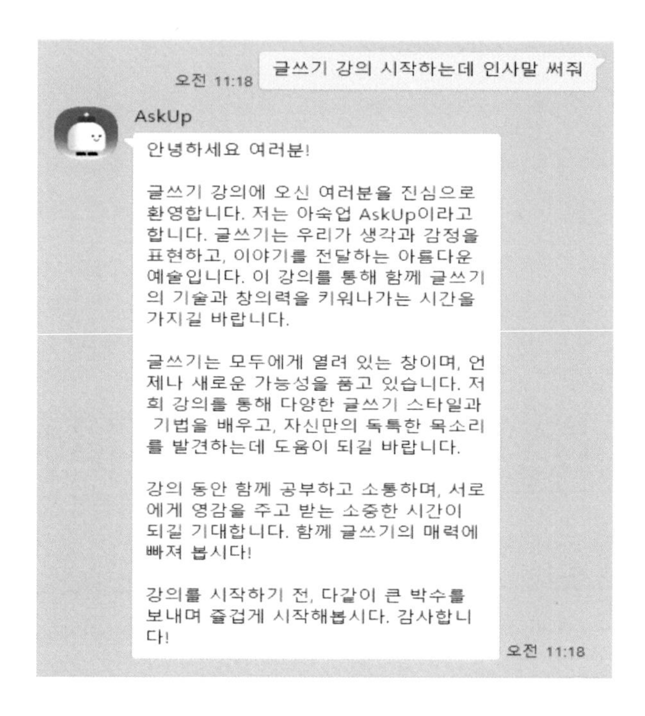

어떻게 활용해야 하는지 몰라 사용하지 못하셨던 분들은 사용하길 권장한다. 핸드폰을 사용하다가 다양한 질문을 입력하여 궁금한 사항을 해결하는 데 활용하기를 바란다.

GPT-4 버전으로 대화를 하려면 느낌표 '!'로 대화를 시작하면 된다.

② AskUp 활용 아이디어 얻기

질문은 문제 해결할 내용을 물으면 답변이 아주 근사하다.

질문을 입력했다. "교사 글쓰기 정석 쓰려고 한다. 차례를 나열해줘?" 했다.

답변이 다음과 같이 제시했다. 다양한 질문을 통해 여러 가지 아이디어를 얻을 수 있다.

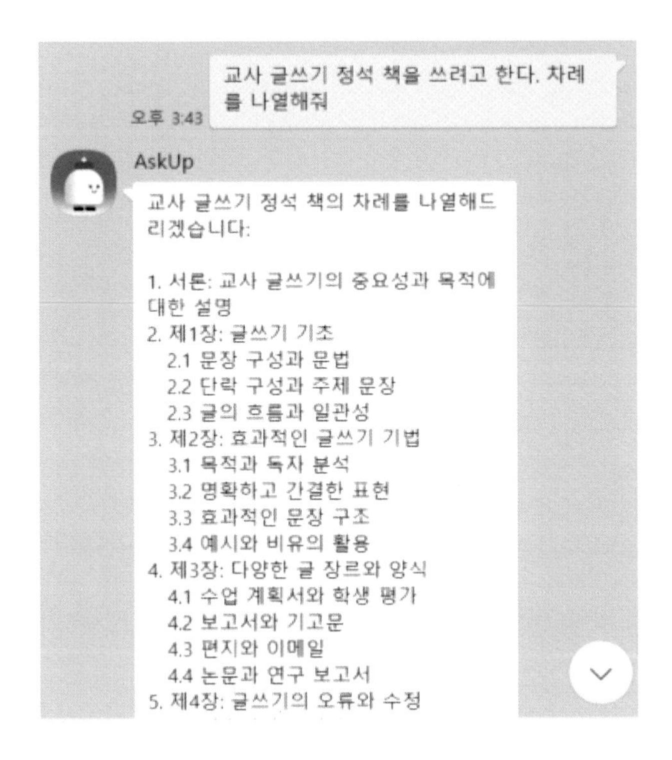

질문했다. "눈이 옵니다. 눈에 대한 시를 써줘?" 했다. 답변이 다음과 같이 제시했다.

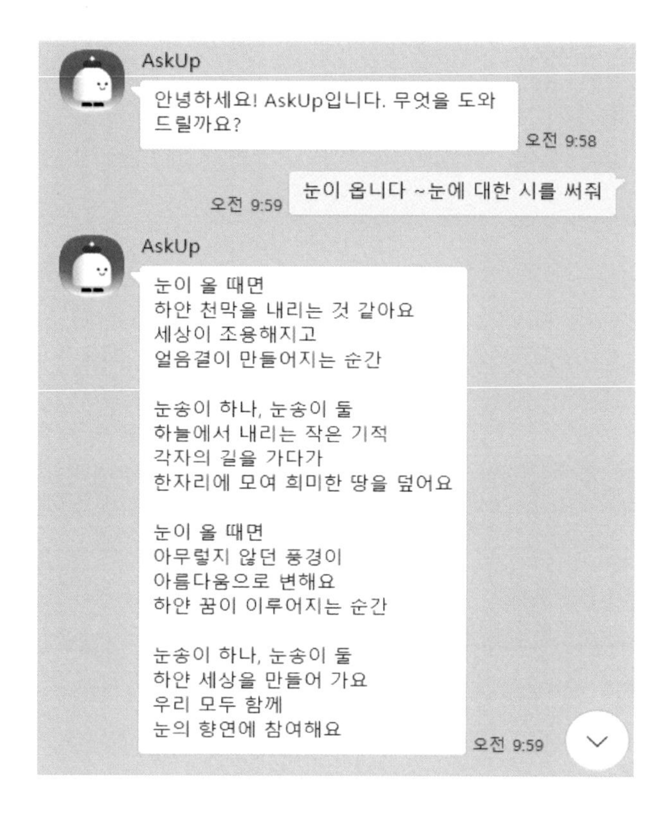

또한 문장을 입력하면 적절한 대답을 만들어 제공해준다. 궁금한 사항을 질문하여 문제를 해결하는 데 아이디어를 얻는 데 활용하기를 바란다.

③ AskUp? 그림을 그려줘

▶그림을 그려줘? 질문하기

"잔디밭에서 노는 강아지 그림을 그려줘?" 했다.
그림을 다음과 같이 제시했다.

"겨울철 눈 쌓인 계곡을 그려줘?" 했다.
그림을 다음과 같이 제시했다.

자세한 문장을 입력하여 질문하면,
더 좋은 이미지를 제공해준다.

▶사진으로 그림 전송하고 질문하기

이번에는 사진을 찍어 AskUp에게 전송하고 질문했다.

"멋있게 그려줘" 남, 녀 구분해 얼굴 이미지를 바꿔었다.

얼굴 보정 변경 전	얼굴 보정 변경 후

④ 신문칼럼, 사진을 글로 변경하기

AskUp은 이미지에서 1,000자 이내의 글씨를 읽을 수 있는 기능을 제공합니다. 이미지 속 글자를 인식하여 문자로 제시한다.

신문 기사나 도서 문서를 텍스트 [이미지]를 인식하고, [문자]로 제공한다.

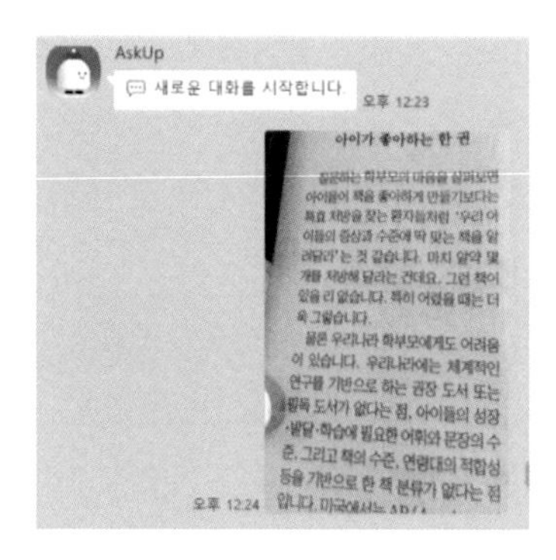

책 속의 문자,

신문기사,

인터넷의 화면,

문자이미지 등

텍스트로 변환된다.

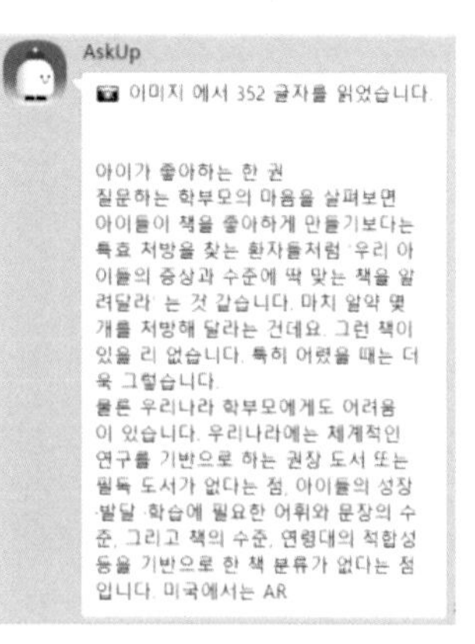

⑤ 펜으로 쓴 글 텍스트로 변경하기

손글씨 등의 텍스트를 사진으로 촬영한다.

이미지를 인식하고, 번역된 답변을 제공할 수 있습니다.

AskUp에 사진을 업로드하면 손글씨를 텍스트 파일로 바꿔준다. 이를 복사하고, 글쓰기에 복사 붙여넣기 하여 활용한다.

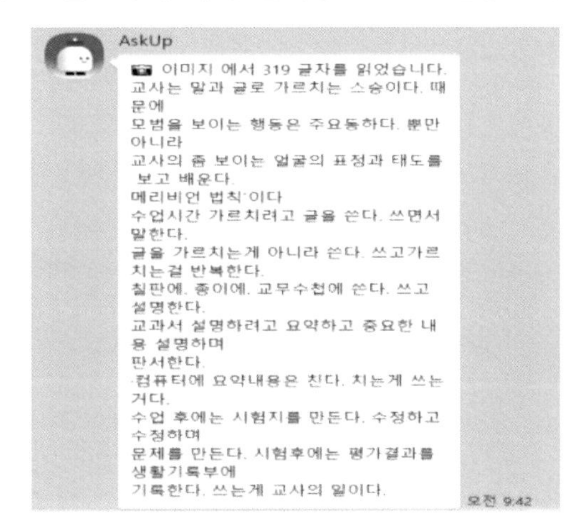

3. Askup 활용 가이드

한글로는 발음하기 쉽게 '아숙업'이다.

AskUp은 영어로 '묻다, 질문하다'라는 뜻을 가진 'Ask'에, AI 전문 기업 'Upstage'의 기업명을 합성한 것이다.

AskUp의 올바른 사용 방법과 다양한 활용은 개인의 역량에 달려 있다. AskUp의 답변 자료는 정확성을 100% 보장할 수 없다. 보완해야 할 부분이 아직 존재한다. AskUp의 다양한 기능이 초기 모델이라 효과적으로 이용하시길 바랍니다. AskUp 서비스나 정책은 예고 없이 변동될 수 있을 것으로 예상한다.

https://askup.oopy.io/

AskUp(아숙업) 가이드에서 참고하기 바란다.

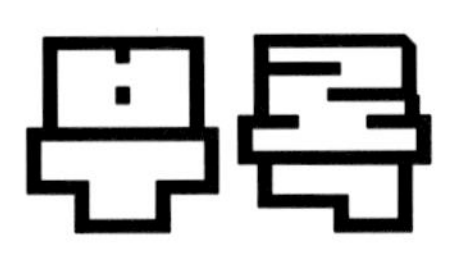

맺는말
참고문헌

글 쓰는 교사 미래가 보인다

'책 속에 길이 있다.'

'책은 사람이 만들지만, 사람을 만드는 건 책이다.' 이는 독서와 글쓰기의 중요성을 강조한 유명한 글이다. 독서와 글쓰기는 인성교육이요, 미래 교육의 기초가 된다. 글쓰기를 잘한다면 그만큼 경쟁력을 갖게 된다. 글 쓰는 일은 내 마음을 찾게 해주는 거울이며 돋보기다.

글쓰기를 시작하는 초보자들을 위한 내용이다. 아주 기본적인 책이다. 글쓰기를 시작하고 싶은데 어떻게 해야 할지 모르는 초보자를 위한 첫 발걸음을 떼주는 기본적인 내용을 담고 있다. 글쓰기 초보자에게 알려주는 글쓰기의 요령과 글쓰기 정석, 내 책을 무료로 만드는 경험을 안내한 책이다.

일기나 수업일지를 쓰면 가르침에 대해 성숙해지고 성찰하게 된다. 지금부터 하루 한 줄 글쓰기로 내 책을 쓰겠노라 마음만 먹으면 그것으로 충분하다. 이는 경험에서 나오는 깨달음이다. 글쓰기는 보람과 만족을 느끼는 일이며 사명이 된다.

이 책은 글쓰기 비법을 나열한 글쓰기 정석이다. 교사의 글쓰기 경험과 사례도 나열했다. 글쓰기 정보는 역지사지(易地思之)요, 반면교사(反面教師)이며 지혜이다.

1부는 신나는 학교생활 이야기다.

2부는 교사에게 전하는 글쓰기의 정석을 나열했다.

3부는 교사의 내 책 만들기 실제이다.

4부는 글 쓰는 교사 미래가 보인다.

5부는 AskUp을 활용하는 글쓰기 TIP이다.

글쓰기에 유용한 AskUp을 활용하는 방법 몇 가지 사례를 들어 구체적으로 제시했다. 글쓰기의 효과 글쓰기의 가치 성장하는 삶, 성찰하는 삶, 이 책은 교사들 마음속으로 소망하고 있는 책 쓰기 안내서이다. 교사의 학교 일상에 대한 경험을 다양하게 표현했다. 교사의 경험과 사례를 실었다.

글쓰기는 생각할 줄 아는 사람을 만들며, 나를 찾게 해주는 안내자이다. 글쓰기는 생각을 도와주는 내 친구이다. 독서와 글쓰기는 인격 형성의 기본이요, 인성교육이며 미래 교육의 기초이다. 교사에겐 글쓰기가 가르침의 필수 조건이며 의무이다. 글쓰기 능력은 평생 특기가 되며 뛰어난 경쟁력이다. 글쓰기 능력은 미래인재이고 주춧돌이다.

교사가 행복해야 학생이 행복하다.

학생이 행복해야 학교가 행복하다.

학교가 행복해야 학부모가 행복하다.

학부모가 행복해야 사회가 행복하다.

사회가 행복해야 국가가 행복하다.

국가가 행복해지면 온 세상이 행복하다.

이 책의 내용을 읽고 수업 역량이 함양되어, 교사 전문성이 높아지고, 좋은 수업으로 행복한 학교생활 하시기 기대한다. 책을 쓰면서 그동안 수업을 다시 한번 돌아볼 수 있는 마음으로 지금도 배우는 중이며, 수업 시간 경험 일부이다. 새롭고 특별한 내용보다는 일상의 수업 내용을 기록한 책이다.

그동안 수업하는 내 삶은 나를 찾게 해주고, 나를 성장시키는 수업을 꾸준하게 한 삶이다. 수업은 과정이다. 지난 추억을 되살리고자 한다. 평생 공부하는 평생학습 시대이다. 기술 교사는 공부가 제일이다. 지식 공부, 세상 공부, 인생 공부한다. 모든 분에게 학교 경험, 수업 경험, 글쓰기 경험, 글을 쓰는 경험을 제공하고자 글을 썼다. 『10대에게 알려주는 글쓰기의 정석 10가지』 도서 일부 내용과 『누구나 글 쓰고 작가 되는 비법』 내용을 엮어서 새롭게 작성했다.

『글 쓰고 내 책 만들기』 교사 연수를 시행한 강의 내용도 함께 제공했다. 책의 내용에는 직무연수 『글 쓰고 내 책 만들기』에 참석한 열정적인 교사의 글이 수록됐다.

그동안 글쓰기 경험과 사례는 따뜻한 마음을 품고 안내한 글쓰기 방법이다. 또한 글을 쓰고 내 책 만들어 작가에 도전하여 저자 되는 길을 제시했다. 글쓰기를 잘한다면 그만큼 경쟁력을 갖게 된다. 학교생활에 조금이나마 도움이 되길 바랍니다.

내 마음은 The Beatles "Let it Be~"

직무연수 마치고 원고를 제출해주신 선생님께 진심으로 감사를 드립니다. 유·초·중·고등학교의 선생님께서 좋은 글을 쓰고 좋은 수업으로 즐겁고 행복한 학교생활 하시기를 소망합니다.

고맙습니다. 감사합니다. 사랑합니다.

2024.2. 인천에서

저자 일동

참고문헌

강신진,《10대에게 알려 주는 글쓰기 정석 10가지》, Book, 2023.
강신진, 최진,《누구나 글쓰고 작가되는 비법》, Bookk, 2023.
강신진,《나는 교육실천가 1》, Book, 2023.
강신진, 김종숙《나는 교육실천가 2》, Book, 2023.
강신진,《10대에게 알려 주는 메이커 정석》, Book, 2023.
강신진,《10대에게 알려 주는 독서의 정석》, Book, 2023.
강신진,《10대에게 알려 주는 뤼튼(Wrtn))에게 물어봐》, Book, 2023.
강신진,《네 꿈을 펼쳐라》, Bookk, 2023.
강신진, 유덕철,《행복한 교사의 일상》, Bookk, 2023.
강신진, 유덕철,《행복해지는 교사들의 7가지 수업》, Bookk, 2023.
강신진,장양기,유덕철,《수석교사 수업 톡(talk)》, Bookk, 2023.
강신진, 유덕철, 장양기《ChatGPT 활용으로 행복한 교사되기》, Bookk, 2023.
강신진,《수석교사 제도》, 부크크, 2023.
강신진,《세상에 이런 법이》, 부크크, 2022.
강신진, 원성균,《내 마음의 시(詩)》, Bookk, 2022.
전은경,정지선,《질문으로 완성하는 청소년 글쓰기》, 북바이북, 2021.
권희린,《사춘기를 위한 문해력 수업》, 생각학교, 2023.
정연미,《세상을 바꾸는 글쓰기 재발견》, 시간여행, 2022.
윤창욱,《10대를 위한 글쓰기 특강》, 책밥, 2022.
박창식,《일 잘하는 공무원은 문장부터 다릅니다》, 한겨레출판, 2021.
김남미,《생각이 글이 되기까지》, 마리북스, 2021.
안건모,《삐딱한 글쓰기》, 보리, 2014.
나상훈.《글은 잘 못쓰지만 작가는 되고 싶어》, 부크크, 2022
장윤영.《퇴근후 글쓰기》, 부크크, 2021
이상민.《책쓰기 정석》, 라의눈, 2017
송숙희.《책쓰기의 모든 것》, 인더북스, 2016

강원국, 《강원국의 글쓰기》, 메디치미디어, 2018
송숙희, 《150년 하버드 글쓰기 비법》, 유노북스, 2022.
송숙희, 《초등학생 150년 하버드 글쓰기 비법》, 유노라이프, 2021.
이상민, 《보통 사람을 위한 책쓰기》, Denstory, 2020.
이상민, 《책쓰기의 정석》, 라의눈, 2017.
유시민, 《유시민의 글쓰기 특강》, 생각의 길, 2015
샌드라 거스저/지여울역, 《묘사의 힘》, 월북, 2021
최승필, 《공부머리 독서법》, 책구루, 2018
제프 켈러 저, 김상미 역, 《모든 것은 자세에 달려있다》, 아름다운사회, 2015
어린이 청소년연구 e-patner 테마칼럼 / 2010.6.20.
경향신문 기사 "이타주의는 남의 입장서 남의 고통을 덜어주려는 봉사정신"
https://m.khan.co.kr/culture/book/article/201405162031045
백세시대(http://www.100ssd.co.kr/)
중앙일보 사회 "글쓰기로~ 문학치료"
https://www.joongang.co.kr/article/9985972#home

책의 그림은 뤼튼(Wrtn)에서 그려준 그림을 사용했습니다.
https://wrtn.ai/

더 나은 삶을 위한
한 권의 내 책 만들기 비법

저　자 | 강신진, 김은솔, 김현수, 노창민, 안경순

발　행 | 2024년 2월 22일
펴낸이 | 한건희
펴낸곳 | 주식회사 부크크
출판사 등록 | 2014.7.15.(제2014-16호)
주　소 | 서울특별시 금천구 가산디지털1로 119
(SK 트윈타워 A동 305호)
전　화 | 1670-8316
이메일 | info@bookk.co.kr

ISBN | 979-11-410-7103-5

www.bookk.co.kr